肉・魚・卵・乳製品・砂糖・だし不要!

あな吉さんの ゆるベジ 野菜100%! お弁当教室

ゆるベジって何?

こんにちは、あな吉こと浅倉ユキです。another～kitchen（アナザー・キッチン）という**「肉・魚・卵・乳製品・砂糖・みりん・だしを使わない」**お料理教室を開いて、ゆるベジライフをすすめています。

ゆるベジというのは、**「食べ過ぎやすい肉や乳製品を使わずに**、不足しがちなお野菜、海藻、豆類などの**ヘルシーな植物性食材を、たっぷり楽しく食べられるよ!」** というハッピーなライフスタイル。「お野菜食べなくちゃ」とムリしなくても、お肉に見えるものや乳製品に見えるものも、すべて植物性素材でできているなんて、なんだかおもしろいでしょ?

でも植物性の材料ばかりで、だしも砂糖も使わずにおいしくできるのかしら……と思った方、ご心配なく! ゆるベジ料理は調理法がいたってシンプル。だからこそ野菜本来の優しい甘みと上品なうまみが最大限に引き出されるので、舌もカラダも大喜びのおいしさに仕上がります。またメニューも「野菜の料理」で連想するような煮物やおひたしのようなものだけでなく、和・洋・中・エスニック・パン・麺類まで、幅広いバリエーションを取りそろえましたので、**「あ、おいしそう!」と思ったページから、ぜひトライしてみてくださいね**。意外なコクとボリューム感に、きっと驚かれると思います。それからメインおかずだけでなく、**副菜の漬け物なども自信作です**。小さなレシピも見逃さずに、ぜひ作っていただけるとうれしいです。

もちろん、朝の忙しい時間帯に作るお弁当ですから、**どれもとても簡単**です。**鍋やボウルなどの調理器具もできるだけ少なくて済むように工夫**しましたので、洗い物も少なめ。しかもハンパな余り野菜だけでできるお弁当も多いから経済的なのもこの本のお弁当の特徴です。

この本はお弁当の本だけど、同時にひとりぶんの野菜たっぷりご飯の本でもあり、冷めてもおいしいヘルシーおかずの本でもあります。だから**おうちランチに、夜食に、おつまみに、もちろん普段のお総菜レシピとしても活用**してもらえたらうれしいなぁ、と思っています。

contents

とにかく野菜が食べたい

大満足の野菜どっさり弁当！

いつものお弁当がベジに変身!!

みんな大好き！　定番のお弁当

ご飯を炊くよりも簡単！

あっという間の小麦粉＆パンで作るお弁当！

ササッと作れてパッと食べられる！

大人気ヌードル弁当

この本のルール

★1カップは200cc、1合は180cc。

★大さじ1は15cc、小さじ1は5cc。

★揚げ油の温度について、高温は180度以上、中温は170～180度、低温は150～169度です。

★「ガーする」とはフードプロセッサー、またはミキサーやミルサーにかけるという意味。料理教室でいつも使っている“あな吉用語”です。

★基本的に野菜の皮はむきません。皮付きのままだと料理の味が損なわれるもののみ「皮をむいて」と書いています。

★材料表の「油」とは菜種油のことです。私は、100％国産の原料で、化学薬品を使わずに圧搾式で搾り出されたものを使っていますが、手元にない場合はサラダ油にしてください。

★各ページの下にある SPEED UP! の一行は、お弁当作りをスピードアップさせるための、無駄のない手順の紹介です。

お弁当作りのハードルを下げる！

あな吉流、お弁当作りのコツ7カ条

お弁当の主役は炭水化物！ 彩りは考えない！
ベジ弁当なのに揚げ物推奨！ など、お弁当作りの常識をくつがえす、
目からうろこのあな吉流お弁当作りのコツを紹介します。

第1カ条：お弁当の主役は炭水化物にする

お弁当箱の中の5～7割が炭水化物でもOK。一般的にもご飯とおかずの割合は5：5、または7：3が望ましいといわれていますし、農林水産省の提示している食事バランスガイドでも、炭水化物を食べる割合を増やすことをすすめています。にもかかわらず、ついつい肉・魚中心の「おかず食べ」になってしまうのが現代人の食生活。だったら、お弁当は、炭水化物を中心にするくらいがちょうどいいのです。がんばっておかずを増やさなくてもOKだから、ラクチンでもあります。

第2カ条：がんばるおかずは一品でOK！

見栄えのするメインおかずを一品だけがんばれば、あとは簡単な副菜でOK！　そう割り切ると、とたんにお弁当作りのストレスが軽くなります。また、メインおかずもヘルシーな野菜でできているから、好きなだけ、たっぷり食べてOKなのがうれしいところ。

第3カ条：主菜と副菜を同時調理

メインおかずを蒸すときに、一緒に副菜も蒸す。ご飯を炊くときに一緒に野菜も蒸す。メインおかずを煮るときに一緒に副菜も煮る……など、同時調理を心がけると手間が省けます！

第4カ条：彩りは考えなくていい！

彩りにこだわると、季節かまわずプチトマトやブロッコリーを入れたり、黄色が足りないからと毎日卵焼きを入れることにもなりかねません。色は素材ではなく、シリコンカップやピックなどを使ってカバーしましょう。

第5カ条：揚げ物を敬遠しない

意外でしょうか？　せっかくベジのお弁当なら、揚げ物はさけて、とことんヘルシーにしたい気もしますが、お弁当はコンパクトサイズでも、ある程度おなかにたまるボリュームがないとすぐにおなかがすいてしまうことに。結果、次のご飯までもたず、ついつい間食をしてしまったら、せっかくのヘルシー弁当生活も、元の木阿弥ですよね。
また、野菜の揚げ物は、お肉の揚げ物と比べて低カロリーな上に繊維質もたっぷり！
上手に利用しましょう。
★揚げ物のコツはP８参照。

第6カ条：フードプロセッサーを活用する

あればぜひ、活用してほしいのがフードプロセッサー。野菜のみじん切りや、小麦粉をこねるなどの面倒で時間のかかる作業があっという間！　忙しい朝のお弁当作りには、ぜひおすすめしたい調理器具です。持っていない場合の作り方も紹介していますが、たっぷりの野菜を短時間で調理するには、ガー（P3参照）の威力は絶大です。
私は、フードプロセッサーはパナソニック（旧ナショナル）の「MKシリーズ」を使っています。

第7カ条：万能だれと、おろししょうがは作り置きする

あな吉レシピによく出てくる**万能だれ**とは、にんにくとしょうがと醤油をガーしたもの。これさえあれば、にんにくやしょうがをみじん切りにする手間が省けます。作り方は簡単。醤油200㏄、にんにく小２片（中なら１片）、しょうが小１片（皮はむかない）をミキサー（ミルサーでも可）に入れて大きなかたまりがなくなるまでガーするだけ。冷蔵で約３週間おいしく保存できます。頻繁に出てくるので、ぜひ作り置きしておきましょう！
♣ミキサーがない場合は…
にんにくとしょうがをすりおろして醤油に混ぜる。

おろししょうがの作り方。しょうが適量（皮はむかない）をフードプロセッサー（おろし機能付き）でガーする。おろし機能がない場合はしょうが1個では回らないので、２～３個入れて１～２分ガーする。まとめておろしたら、冷凍用の密封ポリ袋に入れて、薄い板状にのばし、冷凍庫に入れる。冷凍で１～２カ月はおいしく保存可能。使うときはぽきぽき折って使います。

あな吉さんに教わる

お弁当上手への道 Q&A

お弁当がいたまないようにするにはどうすればいいの？ 汁もれはどう防止する？
おいしい冷凍テクを教えて！ など、
知っておくとお弁当作りがグッと楽になるコツをご紹介します。

Q お弁当がいたまないようにするコツはありますか？

A：その1 おかずが冷めるまでふたをしない。

基本中の基本ですが、おかずやご飯が冷めるまでふたをしないこと。特におかずは、完全に冷ましてから詰めるとなおいいでしょう。

A：その2 お弁当にむかない食材を知っておく。

豆腐、豆乳、おからなどはいたみやすいので、お弁当にむかない食材です。ベジだとどうしてもこれらの食材を使いたくなるものですが、私は、この3つの食材はお弁当に入れません。

A：その3 アルコールや酢でお弁当箱をふく。

アルコールや酢をキッチンペーパーにつけて、お弁当箱をふき清めるといいでしょう。

A：その4 生野菜の扱いに注意する。

案外知られていないのですが、生野菜は切り口から雑菌が繁殖するため、とてもいたみやすいもの。ですから、プチトマトなどは切らずに丸ごと入れましょう。また「浅漬け」（P9）は、そんな生野菜をいたみにくくする先人の知恵です。

Q 夏場のお弁当対策を教えてください。

A：その1 ご飯に梅干しを入れ、おにぎりはラップでにぎること。

夏場は梅干し、酢、スパイス、青じそ、わさび、辛子などを多用するとおかずやご飯がいたみにくくなります。また、おにぎりは手でにぎらず、ラップの上にご飯をのせてにぎると雑菌が繁殖しにくくなります。

A：その2 保冷剤を利用する。

お弁当箱の上に保冷剤をのせてクロスで包むなどの工夫も効果的です。ふたに保冷剤が入っているお弁当箱も売っているので、そういったもので対策をとるのもいいでしょう。

A：その3 高温調理したものを入れる。

食材は高温調理したもののほうが腐りにくいもの。暑くなってきて心配だったら、蒸したものより、揚げたおかずを入れるといいでしょう。

Qお弁当の汁もれに困っています。

A：水分を吸収してくれる食材を下に敷きましょう。

シリコンカップなどに、すりごま、おぼろ昆布、ガーした乾燥わかめ、細かく切った切り干し大根やから炒りしたパン粉など、素材の水分を吸いこんでくれる乾物を敷いて、その上に汁もれしそうなおかずを置くと万全です。汁もれを防ぐだけでなく、うまみもアップします。

Qおすすめの冷凍テクニックはありますか？

A：その1　自家製きのこミックスを作る。

実は、きのこって冷凍すると火を入れたときにうまみが出やすくなるんです。私は、ハンパに余ったきのこは、食べやすい大きさに切ったり、ほぐしてから密封できるポリ袋にどんどん入れて冷凍し、自家製きのこミックスを作っています。チャーハンに入れても、麺類に入れても、ささっとソテーして副菜にしてもおいしいきのこは、お弁当のおかずとして大活躍ですよ！

A：その2　夜の残りおかずはどんどんシリコンカップに入れて冷凍。

夕食を作ったときに、ほんの少しおかずを取り分けて、シリコンカップに入れどんどん冷凍庫にストックしていきます。たとえば、おひたし、スパゲッティなど。そして家族がそのおかずを忘れた頃にお弁当のサブおかずとして入れましょう。これなら楽チンなうえに、いかにも夕飯の残り物でお弁当を作ったという印象もなくなって一石二鳥です！

Q残ったおかずの活用方法を教えてください。

A：蒸しパンなどに入れましょう！

冷凍しておいたミニおかずや、昨日の夕食のおかずがちょっと余っていたら、蒸しパンの具に！　粉をといて10分で完成する簡単さです。さらに、見かけがまったく変わるので、「残り物で作った感」がないのもうれしいところ。その他、クイック餃子パン（P60）、クイックピロシキ（P62）、なす味噌お焼き（P64）、ラップロール（P68）、たい焼き（P74）などにも、この技は応用できます！

もう揚げ物なんかこわくない！

揚げ物苦手克服講座

料理教室をやっていると「揚げ物が苦手で……」という声がとても多いんです。でも、お弁当では、しっかりおなかにたまる揚げ物は大活躍してくれるメニュー。そこで、ここでは、皆さんの“揚げ物苦手ポイント”克服のコツをご紹介します！

コツ1：使うのはフライパン。油は1cmだけでOK！

まず、道具について。揚げ物専用の鍋は必要なし。揚げ物にはズバリ、フライパンが一番。理由は、底面積が広いから火のあたりがいいこと、口径が広いから一度にたくさん入れられること、そして使用後には洗う必要もないから効率的（コツ６参照）！　油の量も底から1cmほどで十分。たっぷりの油で揚げたいときは、フライパンを手前に傾けて、油がたまったところで揚げればOK。

コツ2：油の温度は中～高温、菜箸で確認！

油を入れたフライパンは、まず強火にかけます。油の温度は通常、中～高温（170度以上）に。油温チェックの目安は次のとおり。熱した油の中に菜箸を入れてみて①菜箸の先からぽつぽつと泡が出るなら、低温。②菜箸の先から細かな泡が出るなら、中温。③菜箸全体から、ワーッと泡が出るなら、高温。お肉などの場合は、低温からじっくり揚げることもありますが、ベジレシピなら、中～高温で揚げることがほとんどです（青じそ、三つ葉など、緑色を残したい天ぷらは例外）。

コツ3：具材は一度にいっぱい入れて、基本は中～強火で！

油が温まったら、具材を入れていきましょう。フライパンは口径が広いから、一度にいっぱい揚げられるのがうれしいところ♪　ぎっしり入れてしまって大丈夫。油が少ないから、具材の頭が出てしまいますが気にしなくてOK！　具材を入れたら、箸でごちゃごちゃいじらずに、油につかったところがこんがりいい色に揚がるまで放っておきます。火加減は中～強火で。すっかりおいしそうに色づいたら、ひっくり返してもう片面も揚げましょう。このとき、油の温度が上がりすぎて、焦げやすいようなら火を弱めます。こんがり色づいたところでできあがり。

コツ4：油きりは、魚焼きグリルで！

揚げ物を引き上げるときの油きりについて。揚げ物を箸でつまんだら、一部だけ油に入れたまま傾けてひと呼吸我慢。それから、ちょんちょんと軽くふって取り出します。いきなり引き上げるより、こうしたほうが油がしっかりときれるんですよ。さて、揚がった料理は、ガス台の魚焼きグリルを引き出して、その網の上にのせます。火から近いし、置き場所にも困らない、ベストな特等席なんです！

また、揚げ物をのせる網にはペーパーを敷かないこと！　網の上にペーパーを敷くと、接したところがベタッとしてしまいます。グリルの汚れを防ぎたい場合は、網の下に敷きましょう。

注意！魚焼きグリルを油きりに利用したあと、魚を焼く場合は、火事防止のためにも必ずグリルをしっかり掃除してから使いましょう。

コツ5：油はポットに移し冷蔵庫に！

油の処理についてですが、やはり専用ポットに移すのが一番。ヘラを使って、フライパンの油をできる限りポットに流し込みます。ポットの選び方ですが、頻繁に使うなら、簡単な網の付いた程度のものでOK。あまり頻繁でない方は、しっかりしたフィルター付きのポットを。そして保管場所は、できたら酸化防止のため冷蔵庫にポットごとしまいましょう。使用頻度の少ない方には、特におすすめです。

コツ6：フライパンは、洗わない♪

さて、揚げ物をしたフライパンは、うれしいことに洗わないのがあな吉流。油をポットに移したらふたをして、そのまま放置しておいて、1～2日以内に、炒め物か焼き物などに使えばOK！

おまけ

●ツインフライヤー

ひとり暮らしの方などは、このツインフライヤーがあると便利です。片方で揚げたら、もう片方を上にかぶせてひっくり返すと油こしになるというすぐれもの。油の処理が手軽で場所をとらないところがうれしいですね。複数のメーカーから出ており、ネットショップでも取り扱っているので、「ツインフライヤー」で検索してみてください。

コツ7：ポットの油は、おいしい油！

ポットの油は、炒め物などに使えますよ！　一度使用した油は、ほんのり揚げ物の風味が油に溶け込んでいるため新しい油よりコクがあっておいしいくらいです。この油でチャーハン、野菜炒めなどを作ると、うまみアップ。

コツは3%ルールにあり どんな野菜にも応用がきく！「10分浅漬け」の作り方

お弁当の副菜には、余り野菜の浅漬けが一番手軽。しかもおいしいから言うことなし。どんな野菜でも簡単に作れる、作り置きも可能な浅漬けの作り方をご紹介します。

副菜には漬け物が便利。特に揚げ物がメインおかずのときには相性ぴったりです。通常野菜の重量の3%、あとでゆかりなど塩気のあるものをまぶすなら2%の塩をまぶして密封できるポリ袋に入れます。その後、空気を抜くようにして口を閉じ、重し（水を入れたボウルや鍋などでも可）をのせて10分以上おく（前の日ならそのまま冷蔵庫に入れるだけでOK）。出てきた水を捨ててそのまま食べるもよし、せん切りの青じそやスパイスなどをまぶしてもよし。この浅漬けをカップなどに入れるときは汁気対策の乾物（P7）を少し入れておくと、食べる頃にはさらにおいしくなっています！

2～3日分まとめて作り置きしておいてもいいし、下漬けだけしておいてその日ごとにまぶす味をかえても飽きません。野菜は生で食べられるものなら、この本に登場するレシピどおりじゃなくても、ありあわせでOKですよ。

シンプルな浅漬けの作り方

適宜切った野菜をはかります。野菜の重量の3%の塩をふり入れます。

密封できるポリ袋に入れたら、しっかり空気を抜いて口を閉じる。

ポリ袋の上に、水をはったボウルや鍋などを重しにして約10分おく。あとはお弁当箱に詰めるだけ。

調味料について

ゆるベジは、最低限の調味料で、野菜のうまみと甘みを引き出す料理。シンプルだからこそ、調味料のおいしさがダイレクトに、料理のおいしさに反映します。そこで、ふだん使っている基本の調味料を紹介しましょう。

●天然醸造丸大豆醤油

直径3mもの大きな杉桶で1年間熟成させたもの。お手頃価格なのに本格的な味であるところがお気に入り。（生活クラブ生協）

●国産100%なたね油

自給率1%以下の希少な国産菜種を使用した油。加えて、薬品を使わず、圧搾方式で採取していることもポイントです。「圧搾」と表示している商品を選ぶことをおすすめします。（生活クラブ生協）

●ヤマキウ 元祖秋田味噌

国産大豆を使用した天然醸造の完熟味噌。この味噌は本当においしいです。この味噌さえあれば、だしなしでおいしい味噌汁が作れます！　一部の大手スーパーで購入できます。（小玉醸造株式会社）

●マルクラ 白みそ

白味噌の甘みは、お米を発酵させた自然の優しい甘み。米、大豆、塩以外の甘味料や酒精などが含まれているものは避けましょう。自然食品店などで購入できます。（マルクラ食品有限会社）

●塩

塩は自然塩をおすすめします。私は国産品を選んでいます。

小玉醸造株式会社とマルクラ食品有限会社、生活クラブ生協の問い合わせ先はP96にあります。

とにかく野菜が食べたい

大満足の野菜どっさり弁当！

せっかく手作りするお弁当なら、外食では不足しがちな野菜を
たっぷり食べられるヘルシーなお弁当を持っていきたいもの。
とはいえ、毎日手のかかる和食弁当や生野菜を
ぎゅーぎゅー詰め込んだお弁当では続かないし、飽きてしまいます。
この章では、これでもか！　というほど野菜を詰め込み、
かつジャンルもコリアン、中華、和食とバラエティに富んだ楽しいお弁当をご紹介。
しかもとっても簡単なので、忙しい朝でもラクラク作れるものばかりです！

簡単！炒めビビンパ弁当

手間のかかるナムルもフライパンひとつで完成！　しかもそぼろは高野豆腐

［所要時間 約15分］

あな吉メモ

高野豆腐の種類

スーパーや一般的な食材店で手に入るのは、重曹が入った高野豆腐。とても柔らかく仕上がるのが特徴です。自然食品店や生活クラブなどで手に入るのが、重曹なしの高野豆腐。しっかりした歯ごたえに仕上がるので、ベジで肉に見立てて使うのにはぴったりです。これまでの本では後者をおすすめしてきましたが、「手に入らない！」という声が多かったため、この本ではすべて重曹入りの高野豆腐を使用しています。重曹入りを使用する場合の注意は、柔らかくなりすぎないように水で戻すこと(戻し時間目安は約1分)、戻したらしっかりと水気をしぼること、そぼろなどは長めに炒って水分をしっかりとばすようにすること。でも、もし手に入るなら、昔ながらの重曹なしタイプもぜひ試してみてください。豆の味が濃く、しっかりした食感が楽しめます。その場合は熱湯で戻して使用してくださいね。

◉材料（1人分）

炒めナムル

野菜（にんじん、もやし、小松菜、にら、キャベツなどなんでも）
　――合わせて100g
ごま油――小さじ½
A
- 白すりごま――大さじ1
- 塩――3つまみ
- こしょう――少々
- おろしにんにく――少々

そぼろ味噌

B
- 高野豆腐――1枚（約20g。水で戻し、しぼる）
- 生しいたけ――中1枚
　（石づきは取り除く。軸はあってもよい）
- 万能だれ（P5）――小さじ2
- 味噌――小さじ1
- 韓国粉唐辛子（または一味唐辛子）――少々
- 片栗粉――小さじ1
- 白すりごま――大さじ1

水――50cc
（あれば）松の実、糸唐辛子、黒こしょう――少々
ご飯――適量

★作り方

❶お弁当箱にご飯を詰める。野菜はせん切りにする。温めたフライパンにごま油をひき、野菜を中火でかためにに炒める。Aを入れて混ぜ、火から下ろす。ご飯の上にのせる。

❷そぼろ味噌を作る。Bをフードプロセッサーに入れてガーしたら、空いたフライパン（洗わなくてよい）に入れ、水も加えて弱火で2～3分混ぜながら炒める。好みで糸唐辛子や黒こしょうをふり入れる。

❸①の真ん中に、②を置き、あれば松の実を散らす。よく混ぜてから食べる。

♣フードプロセッサーがない場合は…

Bの高野豆腐としいたけを包丁でごく細かくなるまで刻む。Bの残りの材料も加え、すり鉢やボウルでよく混ぜ合わせる。

アレンジアイディア

そぼろ味噌は作りやすい分量になっています。残ったらご飯にのせたり、和え物にプラスしたりして活用してくださいね。

朝が苦手な人は…

そぼろ味噌は作り置きできます。冷蔵なら3～4日、冷凍なら3週間くらいおいしく保存できます。

まっくろ黒豆ご飯弁当

材料の黒豆は水戻し不要！　この食感と香ばしさはまるでナッツのよう

［所要時間 約40分。炊飯時間30分含む］

まっくろ黒豆ご飯

蒸し野菜

ごまだれ

まっくろ黒豆ご飯

◉材料（1人分）

米——1合

A
- 黒豆（乾燥）——大さじ4
- 醤油——大さじ1
- 黒ごま——大さじ1

蒸し野菜

野菜（にんじん、長芋、ごぼう、大根など好みのもの）——各適量

★作り方

❶米を洗って炊飯器の内釜に入れたら、1.5合のところに水加減する。
❷①にAを入れてひと混ぜする。
❸各野菜を食べやすい大きさに切る。
❹ご飯を炊くときに、蒸し台をセットして、その上に③の野菜をのせてからスイッチオン。ご飯が炊きあがったら取り出す。
◆蒸し台がない場合は、野菜だけ蒸し器で蒸せばOK。

あな吉メモ

炊飯器で、蒸し野菜も同時調理！

炊飯器にギリギリ入る大きさの、ステンレス製の蒸し台を持っていると、とっても便利！（私は100円ショップで発見しました）　蒸し台に野菜をのせてスイッチを押せば、ご飯と同時に蒸し野菜のできあがり。米1合を入れ、水加減し蒸し台を中に入れたら、水面につかずに途中でひっかかって止まるのが正しいサイズ。このときに水面に届いてしまうときは、炊けたご飯を押しつぶしてしまうので、残念ですが小さすぎです。

朝が苦手な人は…

ごまだれを作り置きしておけば、朝は、超楽チンです！

ごまだれ

◉材料（作りやすい分量）

白炒りごま——½カップ（市販の練りごま大さじ2でも可）

A
- 味噌——大さじ1～1½（味噌の塩分によって調節）
- 水——60cc

★作り方

❶白炒りごまをミルサー（またはミキサー）で練りごま状になるまでガーしたら、Aを加えてさらになめらかになるまでガーする。
◆ごまだれは冷蔵で4日間、冷凍で3週間おいしく保存できる。

♣ミルサー（またはミキサー）がない場合は…

フードプロセッサーで練りごまを作る場合は、1カップではうまく回らないかもしれません。その場合は倍量で1分以上ガーすると練りごまになるので、まとめて作ってほかの料理にも使ってください。もちろんすり鉢で根気よくすっても可。

ノンオイル根菜ドライカレー弁当

煮物の定番根菜を、香り高いノンオイルのドライカレーに仕上げました

[所要時間 約20分]

ノンオイル根菜ドライカレー

あな吉メモ

蒸らし炒めで、甘みを引き出す！

この本の中では、野菜を塩とともにフライパンに入れて、ふたをしながら時々かきまぜて炒めながら蒸らす(蒸らし炒め) テクニックが何度も登場しています。最初に塩をふるのは、野菜の水分を出すためと下味のため。ふたをするのは野菜自身の水分だけで火を通すためです。水を加えない分、味が濃く仕上がるのが特徴ですが、おいしく作るためには厚手でピッチリとふたの閉まる鍋やフライパンを使ってくださいね。途中、焦げつきそうになったら水を大さじ1～2足してもOK。

ノンオイル根菜ドライカレー

◉材料（1人分）

にんじん——中½本
れんこん——約1㎝
ごぼう——約10㎝
A ┌ 塩——小さじ¼
　 └ カレー粉——小さじ⅔
B ┌ 水——100cc
　 │ 万能だれ（P5）——小さじ1
　 └ 味噌——小さじ½
（あれば）クコの実——適量

★作り方

❶にんじんはフードプロセッサーで細かいみじん切り状になるまでガーする。れんこんは、1㎜厚さの小さめのいちょう切りにする。ごぼうはささがきにする。
❷①をふたの閉まるフライパンに入れ、Aをまぶす。弱火にかけてふたをして約10分、時々ふたを開けて焦げないように蒸らしながら炒める。焦げそうになったら、水を大さじ1～2足す。
❸Bを②に加えてサッと混ぜ、1分ほど混ぜながら炒めて、できあがり。あればクコの実を添える。

♣フードプロセッサーがない場合は…
にんじんは包丁でごく細かいみじん切り状に刻む。

朝が苦手な人は…

前日に作っておいて、朝は温め直すだけでOK。冷凍で約2週間保存可能です。

きゅうりとセロリの塩サラダ

◉材料（1人分）

きゅうり——5㎝（細長い乱切りにする）
セロリ——5㎝（細長い乱切りにする。筋は取らなくてもOK）
A ┌ ごま油——小さじ½
　 │ 塩——少々
　 └ こしょう——少々

★作り方

❶セロリときゅうりにAをまぶす。

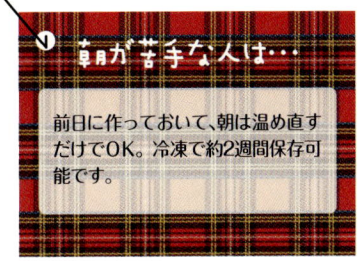

ベジ筑前煮と雑穀入り栗おこわ弁当

だしを取る手間もかけずに、ちゃんとおいしい煮物が完成です！

［所要時間 約35分］

ベジ筑前煮

雑穀入り栗おこわ

SPEED UP!

筑前煮の昆布としいたけを戻す→栗おこわを炊飯器にセットする→筑前煮を作る

ベジ筑前煮

◉材料（1人分）

水——350cc
昆布——5㎝
干ししいたけ——中1枚
油——少々
ごぼう——約30g（ひと口大の乱切りにしたもの6個分）
こんにゃく——約50g（ひと口大に手でちぎったもの6個分）
A
- れんこん——約40g（ひと口大の乱切りにしたもの6個分）
- にんじん——約40g（ひと口大の乱切りにしたもの6個分）
- 醤油——大さじ1
- 塩——ひとつまみ

高野豆腐——1枚
（あれば）きぬさや——2～3枚

★作り方

❶水をボウルに入れ、昆布と干ししいたけを入れて戻す（完全に戻らなくてもOK）。
❷鍋に油を入れて熱したら、ごぼうとこんにゃくを入れて中火で1～2分炒める。
❸①のしいたけの軸を除き、昆布とともにひと口大に切り、①の戻し汁と一緒に②に加える。Aも加えて、強火にかけて沸騰させる。弱火にして、ふたをし約15分煮る。
❹高野豆腐はサッと水でぬらし、包丁でひと口大に切る。③に加えて5分ほど煮て、火を止める。できればそのまま冷めるまで置いておくと、味が染み込む。あれば、筋を取り、サッと湯に通したきぬさやを飾る。

❶朝が苦手な人は…

筑前煮は前日に煮て、朝、煮返してから詰めるのでもOK。むしろ、そのほうが味が染みておいしい！
高野豆腐は色が悪くなるので、朝、煮返すときに加えても。

アレンジアイディア

わざわざだしを取らず、昆布としいたけを具にしてしまうお手軽煮物の技は、ほかの野菜や乾物にもどんどん応用しましょう！

あな吉メモ

普通のお米＋切り餅＝もちもちおこわ！

お米に切り餅を入れて炊くことで、まるでもち米で炊いたおこわのような食感になります。これで、たま～にしか作らないおこわのために、もち米を買う必要はなし！　山菜おこわ、中華おこわなどにも応用できるアイディアです。

雑穀入り栗おこわ

◉材料（2～3人分）

米——1合
A
- 甘栗——8個（2～4つぐらいに手で割る）
- 雑穀ミックス——大さじ1
- 水——大さじ1
- 切り餅——½個（5㎜角程度に刻む）

塩——少々

★作り方

❶米は洗って炊飯器に入れ、通常どおり水加減する。
❷Aを加え、ざっと混ぜてからスイッチオン。炊けたらよく混ぜてお弁当箱に詰め、塩をふる。

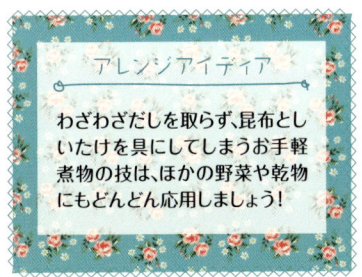

にんじんふりかけ弁当

何はなくとも、にんじん1本あれば大満足のお弁当に！

［所要時間 約15分］

にんじんふりかけ

大根とセロリの白味噌漬け

SPEED UP!

白味噌漬けと酢っぱ漬けを漬ける→にんじんふりかけを作る

にんじんふりかけ

◉材料（1人分）

にんじん――中1本
油――少々
塩――小さじ⅔

★作り方

❶にんじんはひと口大に切り、フードプロセッサーで細かいみじん切り状になるまでガーする。
❷厚手の鍋を温めたら、油と塩を入れて軽く混ぜ、①を加えて強火で3分、中火に落として3分炒める。
◆冷蔵で2日、冷凍で3週間おいしく保存できる。

♣フードプロセッサーがない場合は…
包丁で細かいみじん切りにする。

あな吉メモ

炒め方がポイント

強火→中火の2段階の火加減で、にんじんから驚きのコクを引き出します。

朝が苦手な人は…

ふりかけは前日までに作っておいてOK！　朝、サッと温めてご飯の上にのせて持っていきましょう。

大根とセロリの白味噌漬け

◉材料（1人分）

大根、セロリなど好みの野菜――各適量
白味噌――適量（野菜全体がうまる程度）

★作り方

❶野菜を5㎜程度の厚さの拍子木切りにして白味噌の中に漬ける（白味噌のパッケージ袋や保存容器に直接野菜を入れてしまってもOK！パッケージ袋の中の白味噌は通常通り使える）
❷10分後に取り出して、白味噌を箸でぬぐう（洗わなくてよい）。少し白味噌がついていてもそのままで大丈夫。

きゅうりの酢っぱ漬け

◉材料（1人分）

A［万能だれ（P5）――大さじ1
　 酢――大さじ⅓
きゅうり――5㎝（5㎜の輪切りにする）
白炒りごま――少々

★作り方

❶小鍋にAを入れ沸騰したら、きゅうりを入れ、ひと呼吸おいて火を止める。
❷①を密封できるポリ袋に入れて10分漬ける。白炒りごまをふる。

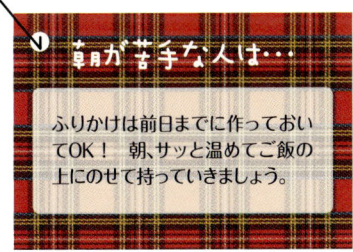

フレッシュサラダの生春巻き弁当

山もりのフレッシュサラダも、これなら持っていきやすいでしょ！？

［所要時間 約15分］

フレッシュサラダの生春巻き

れんこん唐揚げ

手鞠おにぎり

フレッシュサラダの生春巻き

◉材料(3本分)

好みの生野菜やゆで野菜
――150~200g(細切りにする)
生春巻きの皮――3枚
飾り用野菜(きゅうりの薄切り、
コーン、グリンピース、型抜きにんじんなど)――各適量

A
- 味噌――小さじ1
- 白すりごま――小さじ1
- りんごジュース(ストレート)――小さじ2~3

★作り方

❶生春巻きの皮にきり吹きで水を吹き付けたら、手前に野菜を置き巻いていく(POINT!)。
❷ふた巻き分くらい残したところで飾り用野菜を皮の上に並べて最後まで巻く(POINT!)。
❸たれを作る。Aの材料を混ぜ合わせて容器に入れ、食べる直前につける。

POINT!

1 生春巻きの皮全体に、きり吹きでまんべんなく水を吹き付ける。

2 皮の手前に野菜を置く。

3 巻いていく。

4 ふた巻きくらい残したところで飾り用の野菜を一列に並べる。

5 最後まで巻き、飾り野菜が見えるようにお弁当箱に詰める。

アレンジアイディア

春巻きの具は、大根、もやし、レタス、にんじん、きゅうりなどなんでもOK。かたいものはさっとゆでるといいでしょう。
うどんサラダ弁当(P82)で紹介するごまだれをつけてもおいしい。

れんこん唐揚げ

◉材料(1人分)

れんこん――約70g(1㎝角に切る)

A
- 薄力粉――大さじ2
- 上新粉――大さじ2
- 万能だれ(P5)――大さじ½
- 黒こしょう――少々
- 水――大さじ1½~2

揚げ油――適量

★作り方

❶ボウルにAを入れて混ぜ合わせたら、れんこんを加えて混ぜる。
❷揚げ油を中温に熱し、スプーンで①をすくって油に落とし、強火で2~3分、こんがり色づいて表面がカリッとするまで両面を揚げる。

手鞠おにぎり

◉材料(2個分)

塩――少々
ご飯――適量
海苔――適量

★作り方

❶手に水(分量外)と塩をつけ、丸い小さめのおにぎりを作る。
❷5㎜幅に切った海苔を手鞠状に飾る。

レタス餃子＆レタスチャーハン弁当

サラダだけでは使いきれないレタスも、こうすればボリュームランチに

［所要時間 約20分］

SPEED UP!

餃子用のレタスに醤油をかけておく→チャーハンを作る→餃子を作る

レタス餃子

◉材料（6個分）

レタス――大2枚（約80g）
醤油――小さじ1½
パン粉――大さじ2
海苔――½枚
油――小さじ1
餃子の皮――6枚
A ┌ 水――50cc
　 └ 薄力粉――小さじ1

★作り方

❶レタスはせん切りにしてボウルに入れ、醤油をかけて5分以上おき、しんなりとさせる（ここでレタスチャーハンを作り始めるとよい）。
❷①にパン粉をふり入れて、水分を吸わせる。海苔もちぎり入れてざっと混ぜる。
❸餃子の皮の周りに水をつけて②を包む。
❹熱したフライパンに油をひいて餃子を並べる。強火で焼き、焦げ目がついてからAの水溶き薄力粉を流し入れ、中火の弱火で約5分蒸し焼きにする。ふたを開けて水分をとばす。パリッとしたらできあがり。

レタスチャーハン

◉材料（1人分）

ごま油――小さじ1
レタス――大2枚（ざく切りにする）
万能だれ（P5）――小さじ1
ご飯――1½カップ
梅びしお（なければ梅肉を包丁でたたく）――小さじ1〜2
こしょう――少々
（好みで）海苔――少々

★作り方

❶熱したフライパンにごま油をひいて、中火でレタスをサッと炒め、万能だれを加える。ご飯も入れてひと混ぜし、梅びしおとこしょうも入れてよく混ぜたらできあがり。好みで細切りにした海苔を散らす。

野菜たっぷり、炊きこみピラフ弁当

ブイヨン不要！ 余り野菜を炊きこむだけで驚きのうまみ

［所要時間 約40分。炊飯時間30分含む］

プチトマト

炊き込みピラフ

◉材料（1人分）

米――1合

油――小さじ1

にんにく――小½片（すりおろす）

野菜（玉ねぎ、にんじん、れんこんなどなんでも）

　――1½カップ分（約8㎜の角切りにする）

塩――小さじ1弱

こしょう――少々

★作り方

❶米を洗い、炊飯器の内釜に入れて通常どおり水加減してから大さじ1½杯分の水を減らす。

❷フライパンに油、にんにくを入れて中火にかけ、温まったら野菜と塩を入れて1～2分ほど炒めて火を止める。

❸②を①に入れて、こしょうをふりスイッチオン！

アレンジアイディア

コーンを入れると子どもが大喜び。炊きあがったご飯にカレー粉やハーブを混ぜ込んでもOK！

朝が苦手な人は…

②をあらかじめやっておいて、朝は米と炊き込むだけでもOK。

あな吉メモ

炊き込みピラフにはどんな野菜があう?

野菜は大根(辛いところでもOK)、れんこん、ごぼう、にんじん、キャベツ、白菜、玉ねぎ、冷凍ミックスベジタブルなどなんでも。ただし、青菜はべったりとして柔らかくなりすぎるのでやめておきましょう。野菜がたっぷり入っているから、ほかにおかずなしでも十分満足できる、手間いらずでうれしいお弁当です。

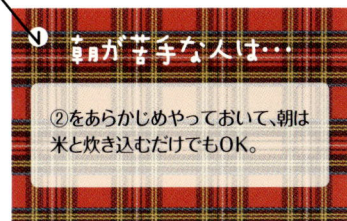

エリンギのしょうが焼き弁当

味見した娘が「ベーコン?」と首をかしげました。肉よりもジューシー!?

[所要時間 約15分]

エリンギのしょうが焼き　　生にんじんのしょうが和え

SPEED UP!
大根を漬ける→生にんじんのしょうが和えを作る→エリンギのしょうが焼きを作る→大根をバジルオイルで和える

エリンギのしょうが焼き

◉材料（1人分）

油——少々
エリンギ——2本（2～3㎜の薄切りにする）
A ┌ 醤油——小さじ1½～2
A │ おろししょうが——小さじ½
A └ こしょう——少々
こしょう——少々

★作り方

❶フライパンに油を熱し、エリンギを並べてふたをする（多少重なってしまってもOK）。中火で約2分焼いて一度ふたを開け、ひっくり返して再びふたをして1分焼く。
❷火を止め、Aを加えてよくからめる。ご飯の上にのせて、こしょうをふる。

朝が苦手な人は…

エリンギをソテーしておいて、当日の朝はご飯にのせるだけでもOK。

生にんじんのしょうが和え

◉材料（1人分）

にんじん——ピーラーで縦に薄切りしたもの5～6枚
A ┌ 塩——ひとつまみ
A └ おろししょうが——少々

★作り方

❶にんじんにAをまぶす。

大根のバジル漬け

◉材料（1人分）

大根——1㎝（5㎜のいちょう切りにする）
塩——小さじ⅓
A ┌ 乾燥バジル——ふたつまみ
A └ オリーブオイル——少々

★作り方

❶大根を密封できるポリ袋に入れ、塩をまぶす。空気を抜いて口を閉じ、鍋などを重しにし約10分塩漬けし、水分をぎゅっとしぼり、Aで和える。

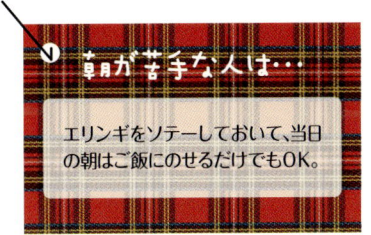

簡単！炊き込み花ちらし弁当

お腹すっきり！ 食物繊維たっぷりの組み合わせ。乾物のうまみに驚きです

[所要時間 約30分]

簡単！炊き込み花ちらし

ずいきのラー油和え

SPEED UP!

鍋に湯を沸かす→花ちらしを炊飯器にセットする→飾り用の野菜(材料B) をゆでる→同じ湯でこんにゃく、ずいきを順にゆで、

簡単！炊き込み花ちらし

◉材料（1人分）

米――1合

切り干し大根――5g

干ししいたけ――中1個

芽ひじき（乾燥）――ひとつまみ

A┌酢――大さじ1
　└塩――小さじ1/3

B┌にんじん――1.5cm（3mmの薄切りにして型抜きする）
　│きぬさや――3枚
　└冷凍コーン――大さじ1

★作り方

❶鍋に湯を沸かしておく。米は洗って通常どおりの水加減にする。

❷切り干し大根、干ししいたけはサッと洗い、キッチンバサミで食べやすい大きさに刻みながら炊飯器に入れる。芽ひじきも洗って入れて、スイッチオン。炊きあがったらAを混ぜ込む。

❸①の鍋で、Bの野菜をそれぞれサッと1分程度ゆでる。

❹手頃な大きさの器（または保存容器など）にラップを敷き、③を並べる。②のご飯を上から詰めてギュッと押し、お弁当箱に取り出す（POINT!）。

POINT!

1 器にラップを敷き、ゆでた野菜をのせる。

2 調味料Aを混ぜたご飯をさらに詰めて、上からギュッと押す。

3 お弁当箱の上に取り出す。

こんにゃくのクルミ味噌和え

◉材料（1人分）

クルミ――20g

A┌味噌――大さじ1
　└りんごジュース（ストレート）――大さじ1～2

こんにゃく――80g

★作り方

❶クルミをフードプロセッサーで粉状になるまで、ガーする（すり鉢でも可）。Aと混ぜ合わせる。

❷こんにゃくをひと口大に切って1～2分ゆでたら、水をきり①で和える（こんにゃくをゆでた湯は捨てずに、続けてずいきをゆでると時間短縮に）。

ずいきのラー油和え

◉材料（1人分）

ずいき（芋がら）――90cm（約10g。3cmの長さに切る）

A┌醤油――小さじ2/3
　└ラー油――小さじ1/4

★作り方

❶こんにゃくをゆでた湯で、ずいきを5分ゆでてざるにあげる（ずいきはアクが出るので、他の食材を先にゆでること）。

❷①が冷めたら軽くしぼり、Aで和える。

あな吉メモ

ずいき(芋がら)は栄養たっぷりのすぐれもの！

ずいきとは、里芋の葉柄(ようへい。葉の一部)。「芋がら」とも呼ばれます。食物繊維や鉄分、カルシウムが非常に多く含まれており、出産後の産婦には必ず食べさせるという地域も。アク抜きが必要とされていますが、5分もゆでれば大丈夫！優しい甘みとシャキシャキした歯触りをいかして、和え物、炒め物、煮物などに、気軽に取り入れてくださいね。私は、国産のものを買うようにしています。

クルミ味噌和えとラー油を和えを作る→花ちらしを完成させる

おろしれんこんの蒲焼き弁当

作ってみると意外に簡単。れんこんの甘みとうまみが最強です！

［所要時間 約20分］

おろしれんこんの蒲焼き

SPEED UP!
にんじんとセロリを白味噌に漬ける→大根の黒ごま和えを作る→おろしれんこんの蒲焼きを作る

おろしれんこんの蒲焼き

◉材料(3枚分)

れんこん――100g
薄力粉――大さじ2
海苔――½枚(3等分にする)
揚げ油――適量
A
- 醤油――小さじ½
- おろししょうが――小さじ½
- 水――大さじ2
- 片栗粉――小さじ½

ご飯――適量
(好みで)粉山椒、芥子の実――少々

朝が苦手な人は…

蒲焼きは冷凍可能なので作り置きしておきましょう。食べるときは自然解凍、または温め直してから合わせ調味料Aにからめること。

★作り方

❶れんこんはフードプロセッサーに入れてガーする。容器内に飛び散ったものをヘラで寄せ集めながら、4~5回ガーしてできるだけ細かくする。薄力粉も加えて、さらにガーする。
❷海苔に①をのせて形作り、中温の油でこんがりと色づくまで両面を揚げ(片面約1分)、油をきる。
❸小鍋にAを入れてひと煮立ちさせ、とろみがついたら火から下ろし②を入れてからめる。
❹ご飯に③をのせ、好みで粉山椒、芥子の実をふる。
◆蒲焼きは冷凍で2週間おいしく保存できます。

♣フードプロセッサーがない場合は…
れんこんは、おろし金ですりおろし、パン粉大さじ1~2を加えて水分を吸わせてから薄力粉と合わせる。

にんじんとセロリの味噌漬け

◉材料(1人分)

にんじん――1㎝(3㎜の輪切りにする。好みで型抜きしても)
セロリ――2.5㎝(5㎜の斜め切りにする)
味噌――適量

★作り方

❶にんじんとセロリを白味噌の中に漬ける(白味噌のパッケージ袋や保存容器に直接入れてしまってもOK! パッケージ袋の中の白味噌は通常通り使える)。
❷10分後に取り出して白味噌を箸でぬぐう(洗わなくてよい)。少し白味噌がついていてもそのままで大丈夫。

大根の黒ごま和え

◉材料(1人分)

大根――1㎝(1㎝角に切る)
A
- 塩――小さじ⅓
- 黒すりごま――小さじ1

★作り方

❶大根をAで和える。

ありそうでなかった!

ベジおにぎり あれこれ バリエーション

3種ミックスがうまみアップの秘密

ごま海苔ゆかりにぎり（1個分）

ご飯100g（⅔カップ）をにぎる。白炒りごまとゆかりと青海苔を適量混ぜてから、おにぎりにまぶす。

熊本の名物、辛子れんこん風の味わいを手軽に！

れんこんむすび（1個分）

れんこんを5㎜の半月切りにする。油をひいたフライパンでサッと焼き付け、醤油少々をからめる。れんこん1つにつき、ご飯50g（⅓カップ）をにぎり寿司形にし、ゆずこしょう（または和辛子）ごく少量とれんこんをのせて、1㎝幅に切った海苔で巻く。

おにぎりなのに、味は冷やし中華!?

冷やし中華にぎり（1個分）

ご飯100g（⅔カップ）にきゅうり10g（細切りにする）、紅しょうが3g、白炒りごまふたつまみ、ごま油小さじ1、酢小さじ½、塩ひとつまみをよく混ぜてにぎる。

ピリ辛がおいしい！

小松菜の高菜漬けにぎり（1個分）

フライパンにラー油小さじ½をひいて熱し、小口切りにした小松菜40gを入れて中火で2分炒める。醤油小さじ½、酢小さじ½を合わせたものを加え、ざっと混ぜたら火を止める。白炒りごま少々を混ぜる。これとご飯100g（⅔カップ）をよく混ぜ合わせてにぎる。小松菜1袋を買っても使いきれないときに、このなんちゃって高菜漬けを作っておくと便利。

さっぱりした後味で食欲増進

しそ味噌梅にぎり（1個分）

ご飯100g（⅔カップ）に梅びしお（なければ梅肉を包丁でたたいたもの）小さじ½を混ぜ合わせる。にぎったら、上に味噌小さじ¼を塗って、青じそ2枚を両面にはりつける。

「ガー」ですぐできる♪

きんぴらにぎり（1個分）

ごぼう20g、にんじん10gをフードプロセッサーでガーする。ごま油小さじ½で6～7分蒸らし炒めをしたら、醤油大さじ½をまわし入れてサッと炒める。ご飯100g（⅔カップ）によく混ぜ合わせたら2等分してまん丸ににぎる。

「ベジおにぎりの具といえば
梅干しや昆布しか思いつかない」
なんて声をよく聞きますが、
難しく考えることなんてなし！
だってご飯に合うものなら、
なんだってOKなんですから。
ここでは、評判のいい、
そしてちょっとおもしろい、
変わりベジおにぎりを紹介します。

オムライスにぎり（1個分）

P34のノンエッグ・オムライスのご飯100g（⅔カップ）をにぎる。

なす味噌にぎり（1個分）

ご飯100g（⅔カップ）に、P64のなす味噌お焼きの具適量を入れてにぎる。海苔を巻く。

エリンギのしょうが焼きにぎり（1個分）

P26のエリンギのしょうが焼き1枚を50g（⅓カップ）のご飯の上にのせて、にぎり寿司の形ににぎる。海苔でぐるりと巻く。

ベジミートの唐揚げにぎり（1個分）

ご飯100g（⅔カップ）に、P40のベジミート（大豆たんぱく）の唐揚げ1個を入れてにぎる。海苔を巻く。

いつものお弁当がベジに変身!!

みんな大好き! 定番のお弁当

オムライスにミートボールに焼売弁当など、誰もが大好きな定番のお弁当を、ぜ〜んぶ野菜で再現しました。
見かけだけそっくり……ではなく、味も食感もまさに本物!
お肉大好きな人でもきっと納得の、しっかりした味とボリューム感です。
野菜でできているからこそ、メインおかずをたっぷり入れても体に優しくて安心。
それどころか、実はローカロリーで食物繊維も豊富だなんて、なんだかすっごくおトクな気分!
そう、定番弁当ベジバージョンは、作ってびっくり、食べてびっくりの楽しいお弁当なのです。

ノンエッグ・オムライス

ノンエッグ・オムライス弁当

砂糖の入ったケチャップを使わずに、さっぱりと仕上げた大人味

［所要時間 約20分］

◉材料（1人分）

A
- 薄力粉——大さじ2
- 上新粉——大さじ2
- ターメリック——ひとふり

水——大さじ5〜6
油（クレープ用）——少々
油（ご飯用）——小さじ1
玉ねぎ——中⅙個
（ミックスベジタブルと同じ大きさの角切りにする）
塩——ひとつまみ
ミックスベジタブル——大さじ3
トマトピューレ——大さじ4〜5
ご飯——1½カップ
塩、こしょう——各適量

★作り方

❶Aをすべてボウルなどに入れる。水を注いで泡立て器で混ぜる。
❷フライパンを中火にかけて温め、油少々をひき、①をひと混ぜして流し込む。フライパンを傾けながら全体に薄くのばし片面を焼く。色づいてきたらひっくり返し、ひと呼吸おいてから火を止めて皿に移しておく。
❸空いたフライパンに油小さじ1を熱し、玉ねぎ、塩を入れて強火で2分炒める。ミックスベジタブルを加えて混ぜ、トマトピューレを入れて水分をとばすように炒める。ご飯を入れてまんべんなく混ぜながら1〜2分炒め、塩、こしょうで味を調える。やや濃いめの味付けがおいしい。
❹②をお弁当箱のふた側に敷き③を詰める。端を折り込んでお弁当箱の底をかぶせ、ひっくり返す（POINT!）。

POINT!

1 お弁当箱のふた側にクレープを敷き、炒めたご飯を詰める。

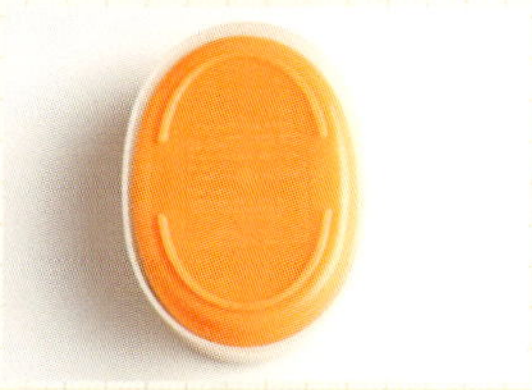
2 クレープを中に折り込んで、お弁当箱をかぶせる。

3 ひっくり返して、ふたを開けると、一面クレープに!

朝が苦手な人は…

前の晩に粉類を計量してボウルに合わせておくだけで、朝はグッと気がラクに。

アレンジアイディア

中身をカレー味のチャーハンにしてもおいしい!

ミートボール風弁当

種明かしをしなければ、誰もが本物のミートボールだと思っちゃいますよ

［所要時間 約20分］

SPEED UP!

にんじんを漬ける→大根を漬ける→ミートボール風を作る→にんじんを取り出し、大根にごまをまぶす

ミートボール風

◉材料（6個分）

タネ

余り野菜（水分の少ないものならなんでも）
　——1カップ分（フードプロセッサーで
　みじん切り状になるまでガーしたもの）

塩——ひとつまみ

オートミール——大さじ4～5

薄力粉——大さじ1

醤油ソース

A
- 片栗粉——小さじ½
- 醤油——小さじ2
- りんごジュース（ストレート）——大さじ2
- おろししょうが——少々
- 白こしょう——少々

揚げ油——適量

★作り方

❶フライパンに余り野菜を入れて強火にかけ、塩をふって1～2分から炒りし、軽く水分をとばす。

❷オートミール（水分量によって調節）を加えてヘラで混ぜ（POINT!）、そのまま約5分おいて水を吸わせる。

❸②に薄力粉を加えてよく混ぜ、6個のボール状にまとめる。パラパラに見えても、ぎゅっとにぎればまとまるので大丈夫。高温の油で表面が色づくまで揚げる。

❹Aを小鍋に入れてよく混ぜ、中火にかけて煮立たせる。③にからめてできあがり。

♣フードプロセッサーがない場合は…

野菜を包丁でできるだけ細かく刻む。

POINT!

オートミールの分量は、タネが水っぽくならないよう、水分量を見ながら調整してください。

あな吉メモ

おいしく作るポイントは、野菜の水分を出さないこと!

野菜でミートボールを作るとき、一番悩んだのは、野菜から出る水分のせいでべちゃっとしたり、もっちりとお団子のようになりやすいこと。お肉のような食感にするコツは、野菜をから炒りして水分をとばし、残った水分もオートミールにしっかり吸収させること。

使う野菜は、そのまま食べるとかたいものがいい!

にんじん、れんこん、大根のしっぽ、しいたけの軸など、そのままでは食べにくいようなところでもOK。ただし、青菜類が5割を超えると、色と味がたこ焼きっぽくなってしまうのでご注意を。大根も水っぽくなるので5割以下にすること。

ガーした野菜が余ったら、冷凍庫へGO!

多めにガーして残った分は、とりあえず冷凍庫へ。チャーハンやトマトソースなどに使うと便利です。「半端野菜に困ったら、みんなまとめてガーして冷凍」と覚えておけば、冷蔵庫はいつもすっきりです♪

アレンジアイディア

今回は照り焼き風の醤油ソースですが、トマトピューレを使った洋風バージョンにしてもおいしいですよ。また、カレーやシチューに入れたりと、工夫次第でふだんのおかずにも、どんどん活用できます。ただし、煮込むと崩れるので仕上げに加えること。

大根の白ごま漬け

◉材料（1人分）

大根——1㎝

塩——小さじ⅓

白すりごま——小さじ1

★作り方

❶大根は3㎜幅のいちょう切りにし、密封できるポリ袋に入れる。塩をふり、空気を抜いて閉じる。鍋などを重しにして10分塩漬けし、水分を捨てる。白すりごまをまぶす。

にんじんの白味噌漬け

◉材料（1人分）

にんじん——適量

白味噌——適量

★作り方

❶にんじんを1㎝×5㎝の棒状に切り、白味噌の袋の中に入れる。10～15分したら取り出す。味噌を箸で軽くぬぐう（洗い流さなくてOK）。

れんこん焼売《しゅうまい》弁当

れんこんの甘みともっちり感が新鮮！　副菜も同時に蒸して簡単に

[所要時間 約15分]

◉材料（1人分・れんこん焼売6個分）

れんこん焼売

A
- れんこん――80g
- パン粉――大さじ2
- 万能だれ（P5）――小さじ1
- 塩――ひとつまみ
- 白こしょう――少々

焼売の皮――6枚
冷凍グリンピース――6粒

蒸しキャベツの辛子醤油和え

キャベツ（またはレタス）――1～2枚
和辛子――少々
醤油――少々
（好みで）黒ごま――少々

にんじんの塩蒸し

塩――ひとつまみ
にんじん――2㎝の輪切り1枚

蒸し枝豆

冷凍枝豆――9粒

★作り方

❶蒸し器に湯を沸かしておく。その間に、にんじんを5㎜の輪切りにして塩をふる。Aをフードプロセッサーに入れて、みじん切り状になるまでガーする。
❷①のAを6等分して焼売の皮で包み（POINT!）冷凍グリンピースをのせる。
❸①の蒸し器にキャベツをちぎって敷き詰め、②の焼売、①のにんじんを並べ6分間蒸す。
❹残り2分のところで、冷凍枝豆も蒸し器に入れる。
❺蒸しあがったキャベツは、あら熱がとれるまで冷ましてから食べやすい大きさに切り、水気をしぼり、和辛子と醤油で和え、好みで黒ごまをふる。にんじんは好みで型抜きする。

♣フードプロセッサーがない場合は…
れんこんをすりおろし、軽く絞って使う。仕上がりはもちもちになる。

朝が苦手な人は…

蒸した焼売は冷凍可。自然解凍または温め直して、おいしくいただけます。

POINT!

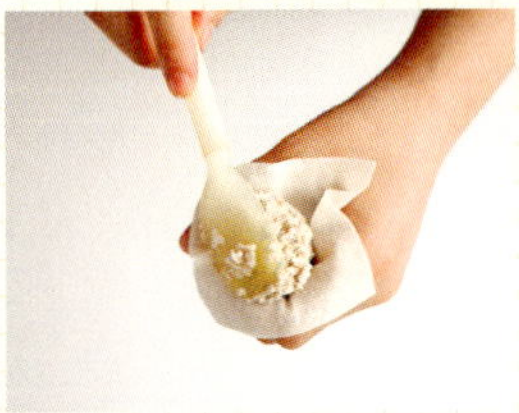

1 親指と人さし指を輪にして皮をのせ、具をのせ、スプーンで下に押し込んでいく。

2 輪のなかに、具がすっぽりはまる状態でOK。

あな吉メモ

冷凍グリンピースは、ミックスベジタブルからより分けても！

お弁当の青みに、あると便利な冷凍グリンピース。でもいっぱい食べるものではないから、私は、わざわざ冷凍グリンピースだけを買ったりせず、ミックスベジタブルの中からより分けて使っています。

ベジミートの唐揚げ弁当

万能だれとこしょうがポイント！　見た目も味も、まさに唐揚げ

［所要時間 約15分。ベジミートの戻し時間は含まない］

きゅうりと長芋のわさび漬け

ベジミートの唐揚げ

SPEED UP!

ベジミートを戻す→きゅうりと長芋を漬ける→ベジミートの唐揚げを作る→きゅうりと長芋をわさびで和える

ベジミートの唐揚げ

◉材料（5個分）

お湯——適量

ベジミート（乾燥・唐揚げタイプ）——5個（約20g）

万能だれ（P5）——小さじ2

A ┌ 薄力粉——大さじ2
  └ 粗挽きこしょう——少々

揚げ油——適量

★作り方

❶ベジミートは85度くらいのお湯（熱湯に水を1割入れればOK）につける。時折上下を返しながら芯がなくなるまで30分以上つけて戻す。

❷戻したらざるに入れ、流水の下で何度もしぼりながら濁り水が出なくなるまでよく洗う。水気をしぼって（あまりかたくしぼりすぎるとぱさつくので軽くキュッとにぎる程度）鍋に戻し（わざわざボウルを出す必要はない）、万能だれをかける。何度かしぼり、またしぼり汁を吸わせることを繰り返しながら、中までしっかり味を染み込ませる。最後は軽くしぼる。

❸②の鍋にAを入れて混ぜ合わせ、高温の油で約5分、色づいて表面がカリッとするまで揚げる。

朝が苦手な人は…

前の晩に揚げて冷蔵または冷凍しておいた唐揚げを、朝、トースターなどで温め直してお弁当箱に詰めてもいいし、そこまでしなくても、前の晩にベジミートを湯につけてから寝るだけでもかなりラク。漬け物は夜のうちに作っておいて、朝は出てきた水を捨ててわさびと和えるだけでもOK。

あな吉メモ

ベジミートはまとめて唐揚げにしておくと、応用できて便利！

ベジミートは、大豆たんぱくなどで作られた、ノンコレステロールのお肉もどき。自然食品店などで手に入ります。よくしぼり洗いして、大豆臭さを抜くことがおいしく作るポイント。簡単だけど、戻し時間が長いのでどうせならまとめて1袋分作ってしまうと、便利です。唐揚げおにぎりにしたり、薄切りにしてサンドウィッチにはさんだり、小さめに切ってサラダに入れたりと、2〜3日かけて楽しめます！　唐揚げは、2週間冷凍保存できます。

きゅうりと長芋のわさび漬け

◉材料（1人分）

きゅうり——10㎝

塩——小さじ1⅓

長芋——5㎝（皮をむいて、1㎝角の拍子木切りにする）

練りわさび——適量

★作り方

❶きゅうりを小さな乱切りにし、密封できるポリ袋に入れる。塩をまぶしてから、長芋を加えて混ぜ、空気を抜いて閉じる。鍋などを重しにして10分塩漬けし、水分を捨て、わさびを好みの量加えて和える。

ドカッとコロッケ弁当

いさぎよく、中身は蒸したじゃがいものみ!!　驚くほどの甘みとうまみ

［所要時間 約25分］

ドカッとコロッケ

ドカッとコロッケ

◉材料（1人分）

じゃがいも――中1個（約120g）
塩、こしょう――各少々
A ┌ 薄力粉――大さじ1½
　└ 水――大さじ1～1½
パン粉――適量
揚げ油――適量
ご飯――適量
海苔――適量
キャベツ――適量（せん切りにする）

★作り方

❶じゃがいもはよく洗い、皮ごと6～8等分して約10分蒸す。竹串がスッと通ったらOK。
❷じゃがいもの皮をむく。ボウルに入れてフォークでマッシュし、塩、こしょうをふって、コロッケ形にまとめる。
❸Aを容器に入れて、小さい泡立て器などでなめらかになるまで混ぜる。
❹②に③をからめ、パン粉をまぶす。
❺中温の油で衣がこんがり色づくまで揚げる。
❻ご飯、海苔、せん切りキャベツ、コロッケの順にのせる。

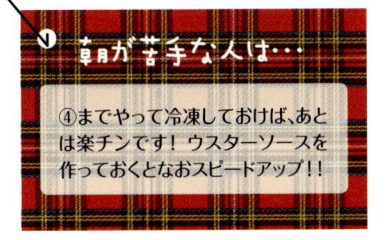

❶ 朝が苦手な人は…

④までやって冷凍しておけば、あとは楽チンです！ ウスターソースを作っておくとなおスピードアップ！！

あな吉メモ

冷凍コロッケを上手に揚げるコツは、冷たい油から入れること！

コロッケは冷凍できるので、大小作って冷凍しておくと、メインに副菜にと使い分けられて便利です。冷凍したコロッケを揚げるときは、フライパンに油を1～2cm入れて、冷凍コロッケも入れてから強火にかけること。こんがり色づいたらひっくり返して、反対側も揚げればできあがり。温めた油で揚げてしまうと中に火が通る前に外側が焦げてしまうことがあるので注意してください。

アレンジアイディア

コロッケにP14の根菜ドライカレーを混ぜ込んでも。根菜たっぷりでも、子どもたちがぱくぱく食べるのでうれしくなります。

ウスターソース

◉材料（作りやすい分量）

A ┌ トマトジュース――100cc
　│ りんごジュース――250cc
　│ 醤油――大さじ2
　│ 塩――小さじ½
　└ おろししょうが――小さじ1
ガラムマサラ――小さじ¼

★作り方

❶Aをすべてフライパンに入れて強火で8～10分煮詰める。だいたい100ccぐらいになるのが目安。
❷ガラムマサラを入れてひと混ぜしたらできあがり。冷蔵で10日、冷凍なら約1カ月おいしく保存できる。

高野豆腐の味噌カツ弁当

見かけはカツのボリューム感。食べればなぜかアジフライ!?　の不思議

[所要時間 約20分]

SPEED UP!

マリネ用の湯を沸かす→きゅうりを漬ける→かぼちゃをゆでてマリネ液で和える→味噌カツを作る→きゅうりに青じそをはさむ

高野豆腐の味噌カツ

◉材料（2個分）

高野豆腐（P11）——2枚（約40g）
海苔——⅓枚×2
A［薄力粉——大さじ2
　 水——大さじ2
B［パン粉——適量
　 塩——ひとつまみ
C［味噌——大さじ1
　 りんごジュース——大さじ2～3（好みで甘みを調節）
揚げ油——適量

★作り方

❶高野豆腐は水で戻し（約1分）、厚みを半分に切る（1㎝が目安）。しっかりとしぼってから海苔を高野豆腐の形にあわせて切って巻く。
❷①にAを混ぜたものをつけ、さらにBをまぶして、高温の油でこんがりと色づくまで揚げる。
❸Cを混ぜて小鍋に入れ、軽く煮詰める。容器に入れて持って行き、食べる直前にかける。

朝が苦手な人は…

カツは揚げる前の状態で冷凍すれば2週間おいしく保存できます。中温の油で揚げます。

あな吉メモ

少し残ったりんごジュースは、製氷器で冷凍

残ったりんごジュースは、製氷器に入れて冷凍します。1個が大さじ1～2ぐらいずつになるので、料理に使うにはちょうどいい分量。トマトジュース、トマトピューレも同じように冷凍すると便利ですよ。

アレンジアイディア

多めに作っておいて、ラップサンドやサンドウィッチの具にしてもおいしい、便利なおかずです。たれはウスターソース（P42）に変えてももちろんOK。

かぼちゃの簡単マリネ

◉材料（1人分）

かぼちゃ——50g
A［酢——小さじ½
　 塩——ふたつまみ
　 こしょう——少々

★作り方

❶かぼちゃは3㎜の薄切りにし、熱湯で1～2分、かためにゆでて、Aで和える。

きゅうりのしそはさみ漬け

◉材料（3個分）

きゅうり——約2㎝
塩——小さじ⅓
青じそ——2枚

★作り方

❶きゅうりは約3㎜のところで切り落とさないように包丁を入れて、1つが6㎜くらいの斜め切りにする（POINT!）。
❷密封できるポリ袋に入れて塩をふり、空気を抜いて閉じる。鍋などを重しにして10分塩漬けし、水分を捨てる。
❷青じそ2枚は縦に半分に切って、きゅうりの切り目にはさむ。

POINT!

1 3㎜のところで切り落とさないように包丁を入れる。

2 包丁を入れた横3㎜のところに包丁を入れて切り落とす。これを3切れ分作る。

3 真ん中の切り目に青じそをはさむ。

同じお弁当も
詰め方しだいで
こんなに変わる!

お弁当の詰め方マジック講座 その1

ご飯→おかず→ご飯と詰めるだけで動きが出る！

P44のように、お弁当箱の中をおかずスペースとご飯スペースに2等分するのが一般的。でも、ご飯→おかず→ご飯と3つのスペースを使ってたがい違いに詰めるだけで、なんだか、お弁当箱の中に動きが出てきます。せっかくだからご飯の上にかけるものも違うものにすると、味も見た目もメリハリがついてグッド。

おかずを串にさしてみる

カツを縦半分に細長く切って串にさしたら串カツです。食べやすいうえに、見た目もおしゃれ。いつものおかずも串に刺すだけで、まったく違ったイメージに。この串カツスタイル、持ち寄りパーティーのときにも活躍しそうです。串が長すぎるときは、切り落として。

丼弁当にはこれ！

ご飯とおかずを重ねて詰めて丼風弁当に。透明のお弁当箱に詰めて中の段々が見えたほうが楽しいし、おいしそう！　おかずの味が染み込んだご飯の部分が、これまたおいしいんです。

海苔とご飯ではさんでライスバーガー弁当！

1枚の海苔にご飯をまんべんなく敷き詰め、片側にソースをたっぷりつけたカツを置きます。そして、半分に折りたたんだら、カツライスバーガーの完成！ カツ丼でもなく、カツにぎりでもない、独特のおいしさはくせになります。片手で手軽に食べられて便利なお弁当でもあります。

せっかくがんばって
毎日違うおかずを作っているのに、
ワンパターン弁当に
見えてしまっていませんか？
そこで、P44の"高野豆腐の味噌カツ弁当"を例に
6パターンの詰め方をご紹介します。
いつものお弁当を
新鮮な印象に見せるヒントにしてくださいね。

シリコンカップを多用して幕の内弁当風に！

手鞠風に小さくにぎったご飯とおかず、副菜をカラフルなシリコンカップに入れてお弁当箱に詰めていくと……あっという間に華やかな幕の内弁当風になります。ここぞ！ という勝負時にぜひ使ってほしいアイディアです。

レタスをカップにして、エスニックライス弁当！

レタスを器に見立てて、そこに、ご飯も副菜も、ひと口サイズに切ったカツものせると、おしゃれな、エスニックライス風になります。レタスでしっかり包んでかぶりつくと、おいしさも、野菜摂取量もアップ！ レタスは水きりをしっかりしてからお弁当箱に詰めること。

高野豆腐のそぼろ弁当

たった1個の高野豆腐が2色のそぼろに大変身！　副菜は、ひとつの鍋で次々調理

［所要時間 約20分］

SPEED UP!

鍋に湯を沸かす→にんじん、ブロッコリー、れんこんを切り、それぞれ順にゆでる→同じ湯でグリンピースもゆで、そのまま冷ます→

高野豆腐のそぼろ

◉材料（1人分）

高野豆腐（P11）——1枚（約20g。水で戻し、しぼる）

A
- ターメリック——ひとふり
- 塩——小さじ¼
- おろししょうが——小さじ⅓
- ごま油——小さじ⅓
- 水——大さじ2
- 片栗粉——小さじ⅔（水で溶かず、あとから直接ふり入れる）

B
- 万能だれ（P5）——小さじ1
- 水——大さじ2
- 片栗粉——小さじ⅔（水で溶かず、あとから直接ふり入れる）

冷凍グリンピース——10粒

★作り方

❶冷凍グリンピースは熱湯でサッとゆで、そのまま湯の中で冷ます（こうすると、しわがよらない）。冷めたら水気をきってふく。

❷高野豆腐はフードプロセッサーでガーする。

❸Aの片栗粉以外をフライパンに入れてひと混ぜし、②の半量を入れて中火で1～2分炒りあげる。ぽろぽろになったらAの片栗粉をふり混ぜて、できあがり。皿に移しておく。

❹空いたフライパン（洗わなくてOK）にBの片栗粉以外を入れてひと混ぜし、高野豆腐の残り半量を入れて中火で1～2分炒りあげる。ぽろぽろになったらBの片栗粉をふり混ぜて、できあがり。

あな吉メモ

片栗粉は、最後にぱらぱらふり入れる！

コツは片栗粉を入れるタイミング。水分と一緒に入れると団子状になってしまうので、仕上げにぱらぱらふり入れます。こうすれば、ほどよくそぼろがまとまって、食べるときに箸からこぼれ落ちるのも防げます。

ターメリックについて

カレーの主原料で肝臓によいといわれる「うこん」の粉末。鮮やかな黄色が卵風を演出してくれるので重宝する食材です。加熱すると発色するので、使用は控えめに。入れすぎると薬臭くなってしまうので注意しましょう。

♣フードプロセッサーがない場合は…

高野豆腐を包丁でごく細かいみじん切りにする。

朝が苦手な人は…

そぼろは冷凍で1カ月おいしく保存できます。食べるときは自然解凍か、フライパンで炒り直して。

にんじんとブロッコリーの海苔和え

◉材料（1人分）

にんじん——15g

ブロッコリー ——20g

A
- ちぎり海苔——½枚
- 醤油——小さじ1

★作り方

❶にんじんは小さな乱切りにし、ブロッコリーはひと口大に切る。

❷熱湯ににんじんを入れて1分ゆで、ブロッコリーを加えてさらに1分ゆでて取り出す。

❸②をAで和える。

れんこんのゆかり和え

◉材料（1人分）

れんこん——6㎜

ゆかり——適量

★作り方

❶れんこんは、2㎜幅のいちょう切りにする。

❷①を熱湯で約1分ゆでる。しっかり湯切りして器に入れ、ゆかりで和える。ゆかりは調味料なので、たっぷり入れるとおいしい。

海苔和え、ゆかり和えを作る→高野そぼろを作り、お弁当箱に詰めてグリンピースを上にのせる

ノンマヨ・ポテサラ太巻き弁当

女性に大人気のサラダ巻き。ノンマヨネーズでもしっとりした食感

［所要時間 約20分］

ノンマヨ・ポテサラ太巻き

◉材料（１人分・太巻き１本分）

ノンマヨ・ポテサラダ太巻きと蒸しかぼちゃと蒸しきぬさや

A
- じゃがいも――中½個（４等分する）
- にんじん――（１㎝角の拍子木切りにしたもの）２本
- かぼちゃ――（１㎝の薄切りにしたもの）１枚

きぬさや――３枚

B
- ご飯（温かいもの）――1½カップ
- 酢――小さじ１
- 塩――小さじ¼

きゅうり――¼本（ごく薄い輪切りにする）

塩――ふたつまみ

C
- 梅びしお（なければ梅肉を包丁でたたく）――小さじ１
- こしょう――少々

海苔――１枚

レタス――大⅓枚（約15g）

★作り方

❶Aは蒸し器で約10分蒸す。残り１分のところできぬさやも入れる。

❷蒸している間にBをボウルで混ぜる。きゅうりに塩をふってしばらくおく。

❸①のじゃがいもの皮をむき、マッシュしてCを混ぜ込む。②のきゅうりの水分をしぼり、合わせる。

❹海苔に、②のご飯を敷き詰めレタスを置き、③と①の蒸しにんじんをのせる。巻きすで巻いて食べやすく切る（POINT!）。

❺かぼちゃを２等分する。

あな吉メモ

お弁当なら、豆腐マヨネーズはNG

ベジの定番・豆腐マヨネーズは、いたみやすい豆腐を加熱せずに使うので、お弁当にはちょっと心配。特に夏場は、豆腐・豆乳などを一切使わずに作る工夫をしたいですね。

アレンジアイディア

ベジミートの唐揚げ(P40)や、高野豆腐の味噌カツ(P44)を具として使うと、さらにボリュームアップで喜ばれます。

POINT!

1 むこう側を3㎝くらい残してご飯を敷き詰め、手前に具を置く。

2 具をグッと押さえて巻き始める。

3 中心をしっかり押さえながら巻いていく。

ゆずこしょう風味のいなり寿司弁当

ノンシュガーのさっぱりいなりと副菜2品が同時に完成の技あり弁当

[所要時間 約30分]

ゆずこしょう風味のいなり寿司

◉材料（１人分・いなり寿司４個分）

ゆずこしょう風味のいなり寿司と切り干し大根の煮物

油揚げ――２枚

A
- 切り干し大根――5g（サッと洗う）
- 水――１カップ
- 醤油――大さじ１½～１

B
- ご飯（温かいもの）――½合分（約1カップ強）
- 酢――大さじ½
- ゆずこしょう――小さじ½

青じそ――４枚

にんじんとさやいんげんの黒ごま和え

さやいんげん――２本

にんじん――さやいんげんの見た目の半量分

C
- 黒すりごま――小さじ１
- 醤油――少々

★作り方

❶油揚げは半分に切って袋状にし、熱湯をかけて油抜きする。さやいんげんは３㎝長さに、にんじんも、さやいんげんと太さをそろえて３㎝長さに切る。

❷①とAを鍋に入れ、中火で約10分ふたをして煮る（POINT!）。そのまま冷めるまで約10分おく。

❸Bはすべて混ぜ合わせて、４等分する

❹②の油揚げを軽くしぼり、内側に青じそをはりつける。③のご飯を入れ、指で隅々まで押し込むように詰める。

❺②のさやいんげんとにんじんをCで和える。

❻切り干し大根の半量を取り出し、しぼってからお弁当箱に入れる。残った半量は、冷凍で２週間おいしく保存できる。

POINT!

油揚げと副菜の切干し大根、にんじんといんげんを一緒に煮ると時間短縮！

アレンジアイディア

ご飯にゆずの皮のせん切りを入れたり、梅じそご飯にしてもおいしいですよ。また、子ども向けにマイルドな味にする場合は、米1合につき酢大さじ1、塩小さじ⅓を混ぜ、そこに副菜の切り干し大根、黒すりごま、甘栗などを混ぜ込むといいでしょう。

朝が苦手な人は…

煮た油揚げと切り干し大根は、煮汁ごと冷凍可能。約2週間おいしく保存できます。食べるときは、そのまま鍋に入れて火にかけて、解凍してください。

あな吉メモ

切り干し大根は、みりん代わりに重宝！

煮物などに甘みが欲しい場合は、切り干し大根を加えると便利。ほんのりと優しい甘みとうまみが加わるうえに、具材も増えてお得な気分♪　甘みだけが欲しくて切り干し大根を食べたくないというときは、最後に取り出して冷凍保存しておけばいいでしょう。

野菜の三色天丼

揚げ野菜の強い甘みはまさにごちそう。上新粉ならカリッと仕上がる

[所要時間 約15分]

SPEED UP!

大根を漬ける→天ぷらを揚げる→大根とゆかりを和える

野菜の三色天丼

◉材料（1人分）

A
- 上新粉——大さじ2
- 水——大さじ2

にんじん——20g（細切りにする）
玉ねぎ——20g（3㎜幅のくし形切りにする）
さやいんげん——20g（半分に切る）

B
- 醤油——大さじ½
- 水——大さじ1

揚げ油——適量
ご飯——適量
（好みで）七味唐辛子、紅しょうが——適量

あな吉メモ

天ぷらは、冷凍可！

天ぷらは冷凍で2週間おいしく保存できるので、多めに揚げておくと便利。食べるときはたれ用の醤油と水を小鍋に沸かし、サッと煮ればOK。蕎麦やうどんの具としても重宝します。また、野菜は20g×3種ならなんでもOK！

★作り方

❶Aを茶碗などに入れ、箸でなめらかになるまで溶く。
❷まず野菜を1種類、①に入れて和える。箸でまとめてつまみ、高温に熱した揚げ油の中にそっと落とす（落としたときにばらけても、すぐに箸でまとめてぎゅっとつまみ直すとくっつくので大丈夫）。
❸残り2種類の野菜も同様に、順番に①をからめて油に入れる。高温のまま両面がきつね色になり、カリッとするまで揚げて、引き上げる。油をきって、よく混ぜ合わせたBをからめる。
❹ご飯の上に、天ぷらを並べる。好みで七味唐辛子をふり、紅しょうがを添える。

大根のゆかり漬け

◉材料（1人分）

大根——6㎜
塩——ふたつまみ
ゆかり——ひとつまみ

★作り方

❶大根を2㎜の輪切りにし、1㎝の角切りにする。ボウルに入れて、塩をふったら、そのまま10分おき、水分をぎゅっとしぼる。
❷ゆかりとよく和える。

こんにゃくカルビ風弁当

こんにゃくなのに、このボリューム感。フライパンひとつで全部完成！

［所要時間 約20分］

こんにゃくカルビ風

◉材料（1人分）

こんにゃくカルビ風

凍らせたこんにゃく（3～4㎜の薄切りにしてひと晩凍らせたもの）——6枚

万能だれ（P5）——大さじ1

大根——輪切り1㎝分

白炒りごま——少々

糸唐辛子（または粉唐辛子）

ピーマンのサッと炒め

油——少々

ピーマン——1個

塩——ひとつまみ

にんじんの蒸らし炒め

油——少々

にんじん——¼本

塩——ひとつまみ

（あれば）糸唐辛子、白炒りごま——少々

ご飯——適量

あな吉メモ

こんにゃくは金属トレイに並べて冷凍

こんにゃくは一度凍らせると水分が抜けて食感が変わります。バットやお菓子の缶のふた、ロールケーキの焼き型などを利用して急冷し、凍ったら密封できるポリ袋に移して保管します。野菜炒めなどにプラスしても、ボリュームアップしておいしいですよ。ただし、安いこんにゃくだとたまに、すごくスジっぽくなる場合もあるので、生芋こんにゃくなど、ちょっと高めのものがおすすめです。また、冷凍しないこんにゃくでも、食感は変わりますができます。

★作り方

❶たっぷりの水を張ったボウルに、凍ったこんにゃくを入れ、数分つけて解凍する。

❷ピーマンとにんじんを細切りにする。

❸ピーマンのサッと炒めを作る。フライパンを強火にかけて油をひいて熱し、②のピーマンを入れ、強火のまま40秒～1分炒める。1本食べて青臭さが抜けていたら火を止め、塩をまぶしてすぐに器に移す。炒めすぎると歯触りが悪くなり苦みが増すので注意。

❹にんじんの蒸らし炒めを作る。③のフライパン（洗わなくてよい）を火にかけて油をひいて熱し、にんじんと塩を入れてよく混ぜ、弱めの中火で5～6分、ふたをして蒸らしなが焦げないように時々混ぜる。こうすると普通に炒めるよりも甘みがずっと強くなる。器に移す。

❺①を取り出して水気をきり、万能だれをからめる。

❻大根をフードプロセッサーのおろし機能でガーする。

❼⑥を④の空いたフライパン（洗わなくてよい）に入れて強火で1～2分炒め、水分をとばす。⑤を鍋に加えてからめる。

❽ご飯の上に、③④⑦をのせ、糸唐辛子と白炒りごまを散らす。

♣フードプロセッサーがない場合は…

大根をすりおろして使えばOK。

ゆで青菜七変化

メインは決まっても、副菜を作るのが意外と面倒で……と思うことはありませんか？　ほんのちょこっとだけ欲しい緑のおかず、赤いおかず。でも、そんなミニおかずのために、いちいちレシピ本を開く必要はありません。素材を手にして「和える？」「それとも焼く？」「切り方はどれにしようか？」っていうふうに考えれば、お料理は無限に広がっていくし、超簡単！　これを参考に、他の野菜にもどんどん応用してくださいね♪

和える

黒ごま和え

黒すりごまと醤油で和える。

ピリ辛味噌和え

味噌と一味唐辛子などで和える。

白ごま和え

白すりごまと醤油で和える。

海苔和え

塩少々とちぎり海苔で和える。

巻く

海苔巻き

適当な長さに切ったゆで青菜を、海苔でひと巻きする。

パン巻き

海苔で巻いた青菜をトーストで包む。

青菜包み

蒸した里芋を青菜で包む。

青菜のいそべ揚げ

お餅に青菜と海苔を巻いて水溶き小麦粉をつけて揚げる。

餃子にする

オーソドックスな包み方

皮の周囲に水をつけてひだをよせていく。

三角包み

皮の三方向をつまんで包む。

帽子包み

半分に折ったら、両端をくっつける。

包み花形

全体にひだをよせて花形にする。

焼く

青菜焼き

青菜（小口切り）大さじ3、薄力粉大さじ1、水大さじ1、塩小さじ1をよく混ぜて、薄く油をひいたフライパンで焼く。

にんじん七変化

揚げる

新挽き粉揚げ

新挽き粉（もち米を乾かして炒り粗く砕いたもの）を衣にすると、プチプチした食感が楽しい。

コーングリッツ揚げ

コーングリッツ（とうもろこしを乾燥させて砕いたもの）を衣にすると、香ばしさと、ツブツブの食感が口に広がる。

素揚げ

シンプルではあるが、野菜の甘みをグッと引き出す調理法。

蒸してから和える

しょうが和え

おろししょうがと醤油で和える。

ピーナツ和え

粗みじんに刻んだピーナツと醤油で和える。

ハーブオイル和え

オリーブオイルと乾燥ハーブを混ぜ合わせたハーブオイルで和える。

味噌和え

味噌と醤油で和える。

青海苔と塩和え

青海苔と塩で和える。

白味噌和え

白味噌と醤油で和える。

切り方を変える

ピーラーで

いちょう切り

斜め薄切り

せん切り

細切り

拍子木切り

あられ切り

乱切り

ご飯を炊くよりも簡単!

あっという間の小麦粉&パンで作るお弁当!

朝、炊飯器を開けたらご飯がない!　そんなときも、慌てない、慌てない♪
ほんの少しの小麦粉と野菜が冷蔵庫にあれば、
あっという間に野菜と穀物たっぷりの、小麦粉弁当のできあがりです。
発酵もオーブンもいらないから、見た目よりもずっと簡単!
食べやすいうえに、見た目もおしゃれで、なんだかちょっぴりユーモラス。
いつものお弁当よりも、気分がウキウキしちゃうんですよ。

クイック餃子パン

クイック餃子パン弁当

発酵もオーブンも不要のクイックパン。中身ぎっしりの食べごたえ

［所要時間 約20分］

◉材料（3個分）

具

A ┌ 長ねぎ（青いところでもよい）――10㎝
　 └ にんじん――（1㎝の輪切りにしたもの）1枚

高野豆腐（P11）――1枚（約20g。水につけて戻し、しぼりガーする）

B ┌ 万能だれ（P5）――大さじ1～2
　 └ 水――50cc

生地

C ┌ 強力粉――100g
　 └ ベーキングパウダー――小さじ1

D ┌ 水――60cc
　 └ 酢――小さじ½

ごま油――少々

水――100cc

ベーキングパウダーはラムフォードがイチオシ。理由はアルミニウムフリー（みょうばんを含まない）ということと、えぐみや苦みが少なくて味よく仕上がること。自然食品店や製菓材料店で購入できます。

★作り方

❶具を作る。Aをフードプロセッサーでみじん切り状になるまでガーする。

❷①を熱した鍋に入れ、中火で1～2分炒めて水分をとばす。高野豆腐とBも加えて3～4分炒める。高野豆腐から水っぽさが抜け、ぼろぼろのそぼろ状になったらできあがり。味は濃いめがおいしい。

❸生地を作る。Cをフードプロセッサーに入れてガーする。Dを徐々に加えながら1分ほどガーする。そぼろ状の生地をにぎって、耳たぶのかたさになっていればOK。柔らかすぎれば粉、かたすぎれば水を足す。

❹③を3等分して麺棒で10㎝ぐらいの円形にのばし、②の具をのせて包む（POINT!）。

❺フライパンを熱し、ごま油をまんべんなく広げる。④を並べて中火で底が色づくまで1～2分焼き、水を注いですぐにふたをする。弱火にして5分焼いてふたを開け、水気をとばしたら火を止める。

♣フードプロセッサーがない場合は…

生地は手ごねでもOK。ただし、まとまったように見えても3分以上こねてしっかりなめらかにする。具は高野豆腐をごく細かいみじん切りにする。

朝が苦手な人は…

具はあらかじめ作って冷蔵または冷凍可。Cはフードプロセッサーに入れて、Dも計量して冷蔵庫に入れておきます。当日はフードプロセッサーに入れてガーすれば、1分で生地のできあがり！ 包んで焼くだけなら、10分足らずでお弁当の完成です。

アレンジアイディア

皮にすりごま、青海苔、カレー粉などを少々混ぜ込むと、見た目もカラフルになって楽しいです！

具のそぼろを作る時間がなかったら、前夜の残りおかずを包むだけでもおいしく仕上がります。

POINT!

1 直径10㎝程度の円形にのばした生地に具をのせる。

2 生地を中心でつまむ。

3 中心から端にむかってひだをよせる。

4 同じように反対側もひだをよせる。

5 できあがりの形。

クイックピロシキ弁当

餃子パンの応用でピロシキもできちゃいます。キャベツが驚きの甘さ！

［所要時間 約20分］

クイックピロシキ

◉材料（3個分）

具

A
- キャベツ——大1枚（細切りにする）
- 玉ねぎ——½個（薄切りにする）
- 生しいたけ——2枚（細切りにする）

塩——小さじ⅓

白こしょう——少々

生地

B
- 薄力粉——100g
- ベーキングパウダー——小さじ1

C
- 水——50cc
- 酢——小さじ½

揚げ油——適量

★作り方

❶**具を作る。**Aを鍋に入れて塩をまぶす。ふたをして中火で5分、時々ふたを開けて焦げないように蒸らし炒めする。5分たったら火を止めて白こしょうをふり、ふたをしてそのまま置いておく。

❷**生地を作る。**Bをフードプロセッサーに入れてガーする。Cを加えてさらに、約1分ガーする。

❸②を取り出してひとまとめにし、3等分にする。麺棒で長経15cm幅ぐらいの楕円形にのばして①の具を置き、ふちをつまんで閉じる（POINT!）。ふちがぬれるとくっつかなくなるので、そのときは強力粉をはたくとよい。

❹フライパンに油を2cmほど入れて熱し、中温になったら③を入れてふたをして中火で2～3分揚げる。裏返して反対側も同様に揚げ、両面が色づいたらできあがり。

♣フードプロセッサーがない場合は…

生地は手ごねでもOK。ただし、まとまったように見えても3分以上こねて、しっかりなめらかにすること。

POINT!

1 15cm幅程度のやや楕円形にのばした生地に具をのせる。

2 生地を中心でつまむ。

3 中心から端にむかって生地同士をギュッとくっつける。

4 できあがりの形。

朝が苦手な人は…

Bはフードプロセッサーに入れて、Cも冷蔵庫に入れておきます。当日はフードプロセッサーにCを入れてガーすれば、1分で生地のできあがり！　具も前夜に作っておけば10分足らずでお弁当の完成です。生地の作り置きはできません（P67あな吉メモ参照）。

アレンジアイディア

具は残り物などなんでもOK。

あな吉メモ

ふくらんでも開かないよう、しっかり閉じて！

つまみ方が甘かったり、ふちがぬれていてしっかりとくっついていなかった場合、揚げているうちに、だんだん閉じ目が開いてくることがあります。その場合は慌てず、片面を揚げた状態で、フライパンの油をオイルポットに移してから、ひっくり返して、裏面を焼きあげます。最初から揚げずに焼いてもよさそうですが、それだと皮がかたくなるので、サックリした食感にはならず、ピロシキというよりは餃子パンに近くなってしまいます。

なす味噌お焼き弁当

生地にご飯を加えたから、冷めてもやわらか。 コックリ甘いなす味噌入り

[所要時間 約25分]

なす味噌お焼き

◉材料（2個分・具は作りやすい分量）

具

ごま油――小さじ1
なす――2本（約200g。1㎝の角切りにする）
水――100cc
かぼちゃ――約100g（5㎜の角切りにする）
味噌――大さじ1～1½

生地

A┌ 薄力粉――1カップ
　└ 冷やご飯――½カップ
水――30～40cc
油――少々

★作り方

❶**具を作る。**フライパンを熱し、ごま油をひき、なすを入れる。ふたをして弱火で約2～3分、時々ふたを開けて焦げないように蒸らし炒めする。
❷①に水とかぼちゃを入れ、ふたをして8分煮る（焦げないように時々ふたを開けてかき混ぜる）。かぼちゃが柔らかくなったら、ふたを取って味噌を加えて混ぜ、炒めながら水分をとばす。
❸**生地を作る。**Aをフードプロセッサーに入れてガーする。水を少しずつ入れてさらにガーする。耳たぶより少しかために仕上げる。
❹③の生地を2等分し、各直径20㎝の円形にのばし具を包む（POINT!）。
❺フライパンを中火で熱し、油少々をひく。とじ目を下にして④をならべて約2分きつね色になるまで焼く。ひっくり返して約1分焼いたら水を加えてふたをし、蒸し焼きにする。3～4分したらふたを開けて強火にし、残った水分をとばす。

♣フードプロセッサーがない場合は…
かなり時間はかかるが、米粒がつぶれて一体化するまでよくこねる。

あな吉メモ

ご飯を混ぜれば、小麦粉生地はかたくなりすぎない！

皮にご飯を混ぜ込むことで、もちもち感アップ！　さらにご飯の甘みがプラスされておいしさもアップと、いいことずくめの裏ワザです！

POINT!

1 生地の中心に具を置いて→のように生地をつまんで、合わせる。

2 合わせた生地をギュッとくっつける。のびにくい生地なので、強く引っ張らずつまんで閉じるようにするのがコツ。

3 ●印同士を対角線上につまんで合わせる。

4 できあがりの形。

アレンジアイディア

具はなす味噌だけでなく、蒸したかぼちゃ、さつまいも、里芋のマッシュ、切り干し大根の煮物、筑前煮などでもおいしい。ドライカレーなんかも合いますよ！　また、余ったなす味噌はご飯のお供にもぴったりです。

ノンシュガー蒸しパン弁当

超シンプルな生地だから、どんな具材とも相性抜群。おにぎりのような蒸しパン

[所要時間 約15分]

レーズン蒸しパン

◉材料（6個分）

生地

A
- 薄力粉——100g
- ベーキングパウダー——小さじ1
- 塩——ふたつまみ

B
- 水——90cc
- 酢——小さじ1

トッピング

枝豆、ゆでた金時豆、生のブロッコリー、さつまいも、
青海苔＆白炒りごま、レーズンなど——各好みの分量

★作り方

❶蒸し器にたっぷりの水を入れ、火にかけておく。
❷Aの材料をボウルに合わせ、泡立て器でよく混ぜる。Bを合わせてボウルに注ぎ、手早く混ぜ合わせる。
❸ボウルの隅でトッピングを順番に混ぜ込んではカップに1つずつ入れていく（POINT!）（青海苔＆白ごまは最後に混ぜるといいでしょう）。
❹カップを蒸気のあがった蒸し器に入れて10分ほど蒸す。ふくらまなくなるので時間をおかずいっぺんに蒸すこと。

POINT!

1 生地を入れたボウルの隅にトッピングの材料を入れて混ぜる。

2 カップに入れる。こうすれば、ボウルをいくつも使わずにすむ。

アレンジアイディア

トマト蒸しパン

生地の水分をトマトジュースにかえて、ミックスベジタブル適量を混ぜ込んで蒸す。

カレー蒸しパン

Aにカレー粉小さじ1を混ぜて生地を作る。玉ねぎ中½個（5㎜角に切る）とじゃがいも中½個（1㎝角に切る）に塩少々をまぶし、生地に加え、パセリ少々をトッピングして蒸す。シンプルな生地だからこそ、ありあわせの食材でアレンジが広がります！

あな吉メモ

ベーキングパウダーのアルカリは、酸で中和！

しっかりふくらむように、とお菓子やパンにベーキングパウダーを多めに入れて、えぐみが出てしまったことはありませんか？ それはベーキングパウダーに含まれるアルカリ成分が残ってしまったから。アルカリ性の食べ物って、えぐみや苦みを感じさせるんですよ。だから、水分にはお酢を入れて、中和力を高めます。これでえぐみは残りません！
アルカリと酸は、時間がたつと中和反応が終わって、生地をふくらませる力がなくなってしまいます。ですから生地は作り置きせず、粉類と水分を混ぜたら一気に仕上げてくださいね。

❶ 朝が苦手な人は…

Aはボウルに合わせ入れて、Bは冷蔵庫に入れておきます。朝はザッと混ぜて蒸すだけ。
生地の作り置きはできません。

サラダぎっしり、２種のラップロール弁当

誰もが喜ぶ華やかメニューも、見かけによらず意外と簡単！

［所要時間 約20分］

カレー風味ラップロール

韓国風味ラップロール

◉材料（2本分）

生地

A ┌ 薄力粉――80g
　 └ 水――35cc

具

油――大さじ1

じゃがいも――中2個（5㎜角の棒状に切る）

B ┌ カレー粉――小さじ½
　 └ 万能だれ（P5）――小さじ1

C ┌ 韓国粉唐辛子――小さじ½
　 └ 万能だれ（P5）――小さじ1

生野菜（レタス、きゅうり、にんじんなど好みのもの）
　――合わせて200g

塩――小さじ1½

D ┌ パン粉――大さじ2
　 │ 酢――大さじ½
　 └ こしょう――少々

海苔――½枚

★作り方

❶**具を作る。**じゃがいもは油大さじ1をひいたフライパンで、柔らかくなるまで5～6分蒸らし炒めする。2等分してBとCをそれぞれまぶす。

❷じゃがいもを蒸らし炒めする間に、生野菜をせん切りにして塩をまぶす。

❸**生地を作る。**Aをフードプロセッサーに入れて30秒～1分ガーする。生地を取り出して2つに分けて丸め、打ち粉（分量外）をしながら直径20㎝ぐらいの円形にのばす（POINT1!）。

❹フライパンを中火で熱し、③を入れて約1分焼く。裏返したら、浮いてフライパンと接していないところをふきんで押さえて焼き付け（POINT2!）、火から下ろす（裏を焼くのは全部で30秒くらい。焼きすぎるとかたくなるので注意）。ポリ袋かふきんで包み、かたくならないように蒸らしておく。もう1枚も同じように焼く。

❺②の生野菜をギュッとしぼり、Dをまぶす。

❻④をラップの上にのせ、①のB味（カレー風味）と⑤の半量を広げて、海苔巻きの要領で巻く（POINT3!）。2等分にカットする。

❼もう1枚をラップの上にのせ、さらに海苔をのせてから①のC味（韓国風味）と⑤の残りの半量をのせて同じようにギュッと巻く。2等分にカットする。

♣フードプロセッサーがない場合は…

生地は手ごねでもOK。かたい生地なので、がんばってなめらかに、3～4分かけてこねる。

POINT1!

だいたい円形になっていればOK。

POINT2!

生地の表面がぷっくりとふくらんできたらふきんで押す。

POINT3!

ラップを巻きすに見立てて海苔巻きの要領で巻いていく。

朝が苦手な人は…

じゃがいもは味付けまで、生野菜も塩をまぶすところまでやって冷蔵庫に入れ、朝になってからしっかりしぼってDをまぶせばOK。生地はこねたら、乾かないようにラップかポリ袋できっちり包んで冷蔵庫に。のばして焼くのは当日の朝にしたほうが、食感も柔らかくおすすめです。

アレンジアイディア

中身は前夜の残り物などでもOK。ただし野菜の水気が染み出してこないように、具にはパン粉をまぶしてしっかりと水分対策をすること。

なんでも野菜のミックスチヂミ弁当

ちょっとずつ残った野菜で韓国風なお弁当！　食べやすさも好評

[所要時間 約20分]

なんでも野菜のミックスチヂミ

◉材料（1枚分）

薄力粉——½カップ
水——100cc
野菜（キャベツ、にんじん、玉ねぎ、もやし、にらなど）
——合わせて50g（もやしの太さに合わせてせん切りにする）
油——小さじ1
A［万能だれ（P5）——大さじ1
　 酢——大さじ⅔
（好みで）韓国粉唐辛子、刻みねぎ、白炒りごま——各適量

★作り方

❶ボウルに薄力粉を入れてから水を加え、泡立て器でなめらかに溶く。そこにせん切り野菜を加えてよく混ぜる。
❷フライパンを熱して油をひき、生地の半量を流し込む。
❸ふたをして弱火で約4～5分焼き、火が通ったらひっくり返してこんがりと焼く。残りの生地も同様に焼く。
❹Aを瓶などに入れて添える。好みで韓国粉唐辛子や刻みねぎ、白炒りごまなどを添えてもよい。

韓国風塩にぎり

◉材料（1個分）

A［ご飯——80g
　 ごま油——小さじ½
　 塩——2つまみ
焼き海苔 ——好みの分量

★作り方

❶Aをすべて混ぜ、おにぎりにする。焼き海苔を巻く。

即席梅スープ

◉材料（1杯分）

A［とろろ昆布——ひとつまみ
　 ミツ葉——1本
　 白炒りごま——適量
　 醤油——小さじ½
　 塩——ひとつまみ
　 梅びしお（なければ梅肉を包丁でたたく）——小さじ¼
熱湯——150cc

★作り方

❶ラップにAをくるむ。食べる直前に器に入れて、お湯を適量注ぐ。

とろける甘みの玉ねぎワッフル弁当

シンプルな材料なのに、本格的なオニオンブレッドも顔負けのおいしさ！

［所要時間 約20分］

とろける甘みの玉ねぎワッフル

◉材料（2個分）

A
- 玉ねぎ
  ——中½個（繊維を断ち切る方向で2～3㎜の薄切りにする）
- 塩——小さじ¼
- 粗挽きこしょう——少々

B
- 薄力粉——1カップ（100g）
- ベーキングパウダー——小さじ1
- ミックスベジタブル——¼カップ（なくてもよい）

水——100cc

★作り方

❶Aをボウルに合わせて1～2分おく。
❷Bを①に加え、箸でまんべんなく混ぜる。
❸②に水を加え、さらになめらかになるまでよく混ぜる。
❹ワッフルメーカーに油（分量外）を塗り、③を山盛りのせて閉じる。
❺10～15分、表面がカリッとするまで焼いたらできあがり。

ビタントニオが重宝です

「ビタントニオ」のホットサンドベーカーはすぐれもの。オプションのプレートがいろいろあって、ホットサンドやワッフルはもちろん、たい焼きやプチケーキ、ピッツェルという薄焼きせんべいのようなものも作れちゃうんです！ たくさん作るならオーブンのほうが早いけど、お弁当やおやつに1人分だけ作りたい、というようなときは、予熱も加熱も短時間のビタントニオが絶対便利。3日に1度は使っています。

(株)三栄コーポレーション
Vitantonioバラエティサンドベーカー
http://www.sekai-kaden.com/

あな吉メモ

玉ねぎ以外の野菜でも作れますか？

キャベツ、にんじん、きのこなどでも、なかなかおいしく仕上がります。

玉ねぎに直接塩をまぶして、甘みアップ&加熱時間短縮

以前ネットでこのレシピを公開したときに、「作ってみたら玉ねぎに辛みが残っているし、しゃりしゃりして火も通っていないみたい」とコメントをいただいたことがありました。もしかして塩をまぶしていないのでは？ と聞いたら、「塩は粉に混ぜ込んだ」とのこと。でも、このレシピは玉ねぎに直接塩をまぶすことで、甘みをアップ。さらに塩の浸透圧で水分を早く出すことで、下ごしらえなしでも火が通るようにしてあるんです。だから塩は必ず、玉ねぎに直接まぶしてくださいね！

お好みたい焼き＆
キャロットケーキ風たい焼き弁当

たい焼きがお弁当だなんて、楽しいサプライズ！　実は野菜たっぷりの優等生

［所要時間 各約15分］

キャロットケーキ風たい焼き

お好みたい焼き

◉材料(2個分)

A ┌ キャベツ——70g
  └ 水——大さじ1½

薄力粉——50g

B ┌ 青海苔——小さじ2
  │ すりごま——小さじ2
  └ 醤油——小さじ1

★作り方

❶Aをミキサーに入れ、ジュース状になるまでガーする。薄力粉を加え、なめらかになるまでヘラで混ぜ合わせる。

❷Bを小皿などで混ぜ合わせる。予熱したたい焼き型(2個用)に①の半量を流し入れ、混ぜたBをのせて残りの生地を上から流し込んでスイッチオン。焼き上がりをチェックしながら5~8分焼く。

アレンジアイディア

具は冷蔵庫の残り物など何を入れてもOK。それでもおいしいのがたい焼きのいいところ!

♣ミキサーがない場合は…

キャベツのすりおろしは、ミキサーがないとちょっとむずかしいですね。にんじんなら手ですりおろしてもOK。

キャロットケーキ風たい焼き

◉材料(2個分)

A ┌ レーズン——20g
  │ アーモンド——20g
  └ シナモン——小さじ½

B ┌ にんじん——80g
  └ 水——大さじ3

薄力粉——40g

★作り方

❶Aをミキサーに入れ、ナッツが粗みじん切り状になるまでガーする。皿に取り出す。

❷次にBをミキサーに入れてジュース状になるまでガーする。薄力粉を加え、なめらかになるまでヘラで混ぜ合わせる。

❸たい焼き型に②の半量を流し込み、①を半量ずつギュッと握って中央にのせ、残りの生地を流し込んでスイッチオン。焼き上がりをチェックしながら5~8分焼く。

ベジバーガー弁当

野菜嫌いも思わずニヤリ。オールベジなのに“あの”ジャンク味

［所要時間 約20分］

ベジバーガー

◉材料（1個分）

「ミートボール風」のタネ（P36）——P36の半量
薄力粉——大さじ1
A ┌ トマトピューレ——適量
　 └ 塩——少々
バンズ——1個
粒マスタード——好みの分量
レタス——1枚

★作り方

❶ミートボールのタネに薄力粉を加えてよく混ぜ合わせる。薄いハンバーグ状に形を作って、中温で全体が色づくまで揚げる。混ぜ合わせたAをからめる。濃いめがおいしい。
❷バンズに粒マスタードを塗り、レタスと①をはさむ。

あな吉メモ

たれを変えて照り焼き風に！

P36のミートボールのたれをからめれば、照り焼き風バーガーにもなります。揚げた状態で、約2週間冷凍保存可能。トースターなどで温めてから、たれをからめて食べます。

3 種の野菜ディップ＆スライスパン弁当

こんなに個性豊かな3種のディップが、蒸し器で一度にできあがり！

[所要時間 約20分]

あな吉メモ

味を決めるテクニック

「かぼちゃディップ」……かぼちゃがオーガニックで味が濃い場合は、調味料なしでもOK。蒸すだけでも充分甘いディップに仕上がります。かぼちゃの水分が多く味が薄いなら、ほんの少しの塩とシナモンを加えて甘みを引き出します。こんなにシンプルな料理なのに、濃厚なパンプキンプリンのような味です。

「塩ブロッコリーディップ」……しっかり加熱することで青くささを抜いたところがポイント。少量の塩とオイルだけのシンプルな味付けで、イタリアンテイストに仕上げました。

「里芋チョコディップ」……ラム酒の香りで里芋の香りのくせをなくし、レーズンで自然な甘みを加えています。ノンオイルなのにコクのある、まさにチョコ！ の味が再現されていて、食べた人は皆びっくりします。こんな繊維質たっぷりのチョコなら、思うぞんぶん食べられますね。

◉材料（1人分）

かぼちゃディップ

かぼちゃ――（皮をむいて）50g

A
- 塩――少々
- シナモン――ひとふり

塩ブロッコリーディップ

ブロッコリー――（茎からはずして）50g

B
- 塩――小さじ¼
- オリーブオイル――小さじ½
- こしょう――少々

里芋チョコディップ

里芋――（皮をむいて）50g

C
- レーズン――大さじ3～4
- ココア――大さじ½
- ラム酒――少々

パン――適量

★作り方

❶かぼちゃは2cm角に、里芋は1㎝角に切る。
❷蒸気の出た蒸し器に①とブロッコリーを入れて10分蒸す。
❸かぼちゃはマッシュしてAを加えてよく混ぜる。
❹ブロッコリーはフードプロセッサーでガーして、Bとよく混ぜ合わせる。
❺里芋はCとともにフードプロセッサーでガーする。
❻好みのパンを薄切りにして、ディップを添える。サンドウィッチにしてもいい。

♣フードプロセッサーがない場合は…

それぞれ、すり鉢でなめらかになるまであたる。

♣蒸し器がない場合は…

鍋に蒸し台をセットすればOK！

アレンジアイディア

里芋チョコはP74のキャロットケーキ風たい焼きの具にしてもおいしいです。

意外な食材がパンに合う！

驚きのゆるベジサンドウィッチ

ピリッとスパイシー！ エスニックテイストな

メキシカントマトサラダのトンネルサンド

♥材料と作り方（フランスパン15㎝分）

❶長さ15㎝のフランスパンのクラム(中身) を手や箸でくりぬき、空洞にする。 くりぬいたクラムは、適当にちぎってボウルに入れる。

❷トマト½個（1㎝の角切りにする）、きゅうり5㎝（2㎜の薄切りにする）、塩小さじ⅓、チリパウダー小さじ⅓～½（好みで調節）、オリーブオイル小さじ1、レモン汁少々、小町麩10個（手でにぎりつぶす） を①のボウルに入れてよく混ぜ合わせる。

❸①のパンに②を詰める。ぎゅーぎゅーに詰め込んでOK！　包丁で食べやすい大きさに切り分ける。

油揚げがお肉のような食べごたえ。さっぱりテイストな

油揚げの味噌炒めサンド

♥材料と作り方（1個分）

❶フライパンに万能だれ(P5) 小さじ1、味噌小さじ1、水大さじ2を入れて熱する。

❷油揚げ1枚を5等分して①に加え、よくからめて水分がなくなったら火を止める。

❸好みの厚さのパンの上に、和辛子少々を塗り、きゅうり⅓本（5㎜幅の斜め切りにする） と②の油揚げをパンにはさむ。

組み合わせの不思議？ カツの姿は見当たらないのに

味はしっかりカツサンド！

♥材料と作り方（フランスパン15㎝分）

❶長さ15㎝のフランスパンを用意し、半分の厚さに切り、手や箸で中をくりぬく。くりぬいたクラム（中身） はボウルに入れ、ウスターソース(P43) 大さじ2を入れてよくからめる。

❷れんこん（5㎜厚さに切ったもの3枚） を少々の油をひいたフライパンでソテーする。

❸キャベツ100g（せん切りにする） を①のボウルに入れて和え、②とともに①のパンにはさむ。

ポケットサンド１

みょうが味噌の たっぷり野菜サンド

♥材料と作り方（２個分）

❶みょうが１個（みじん切りにする）と味噌小さじ⅔を混ぜ合わせる。

❷生野菜80ｇ（きゅうり、にんじん、大根）を細切りにする。

❸３㎝程度の厚さに切った食パンをトーストして、三角に切る。真ん中に切り目を入れて袋状にする。①のみょうが味噌を塗って②の生野菜を詰める。

乾物や味噌など、
「え？ これがサンドウィッチの具なの？」
とビックリするような変わった具から、
カツが入っていないのに
カツサンドの味がする
不思議な組み合わせまで、
あな吉流の、
変わりベジサンドをご紹介します！

ポケットサンド２

長ひじきのアリオリサンド

♥材料と作り方（２個分）

❶乾燥長ひじき８ｇは水で戻す。きゅうり40gは細いせん切りにする。

❷オリーブオイル小さじ½とおろしにんにく小さじ½をフライパンに入れ弱火で熱し、香りが出てきたら①のひじきを入れてサッと炒める。塩ひとつまみを加えて味を調えたら火を止め、①のきゅうりを混ぜ込む。

❸３㎝程度の厚さに切った食パンをトーストして、三角に切る。真ん中に切り目を入れて袋状にする。②を詰める。

ポケットサンド３

根菜カレーパン

♥材料と作り方（２個分）

❶３㎝程度の厚さに切った食パンをトーストして、三角に切る。真ん中に切り目を入れて袋状にする。

❷ノンオイル根菜ドライカレー（P14）を①のパンに詰める。

ササッと作れてパッと食べられる！

大人気ヌードル弁当

お昼に麺類が食べたいときってありますよね。コンビニなどでも、パスタサラダや麺類は大人気です。
でも、それでは野菜が不足しがち…。だったら自分で、野菜たっぷりのヌードル弁当を作って、持っていきませんか？
食欲がないときにも、するするっと入ってくれるし、簡単なのに目先が変わって、楽しいお弁当なんですよ！

うどんサラダ弁当

さっぱりと冷たい麺のお弁当は、疲れ気味の日にもうれしいメニュー

［所要時間 約15分］

◉材料（1人分）

うどん（乾麺）――100g

野菜（もやし、にんじん、きゅうりなど野菜はなんでもOK）

――合わせて80g

油――小さじ1

たれ

白炒りごま――½カップ（市販の練りごま大さじ1でも可）

味噌――大さじ1½～2

水――100cc

★作り方

❶鍋に湯を沸かす。その間に、にんじん、きゅうりをせん切りにする。湯が沸いたら、うどんは袋の表示どおりにゆであげる。うどんをゆでている途中に、もやし、にんじんなどをざるに一緒に入れて、ゆでておくとよい（POINT!）。

❷①のうどんは水にさらしてぬめりをとり、ざるにあげ、油をまぶしてから（くっつき防止）弁当箱に詰める。上に野菜を並べる。

❸たれを作る。白炒りごまはフードプロセッサーで約1分、しっとりしたすりごま状になるまでガーする。味噌を入れ、水½量を加えてもう一度ガーする。残り半量の水は、少しずつ加えながらヘラでなじませる（一度にガーすると水分が多すぎて飛び散るため）。別容器に入れて持って行き、食べる直前にたれをかける。

♣フードプロセッサーがない場合は…

白すりごまをすり鉢でなめらかになるまであたる。

POINT!

うどんをゆでるついでに野菜も一緒にゆでる。これなら洗い物も楽！

あな吉メモ

ゆでうどん&生野菜だからこそ、夏場には注意

暑い夏こそ食べたいサラダうどん。でも会社の冷蔵庫に入れておける……などの場合以外は、いたみやすいので要注意です。対策としては、うどんと生野菜それぞれに酢を少々まぶしておく、保冷機能のあるお弁当箱を利用する、保冷剤と一緒に持ち歩く、など。ひと工夫を忘れずに。

ナポリタン弁当

しっかり甘い玉ねぎとたっぷりのトマトピューレで、懐かしい味を再現！

［所要時間 約15分］

ナポリタン

◉材料（1人分）

スパゲッティ――100g
油――少々
玉ねぎ――½個
塩――小さじ¼
トマトピューレ――大さじ5
塩、こしょう――各適量
冷凍グリンピース――8粒

★作り方

❶パスタは袋の表示どおりにゆでる。このときグリンピースも一緒にサッと湯に通す。玉ねぎを2～3㎜の薄切りにする。
❷熱したフライパンに油をひき、玉ねぎ、塩小さじ¼を入れて中火で5分炒めて甘みを引き出す。
❸②にトマトピューレを入れてからめたら、①のスパゲッティを入れてからめる。最後に味見をしながら塩、こしょうで味を調える。グリンピースを散らす。

あな吉メモ

取り分けておくと便利！

できあがったスパゲッティは、少し残して、シリコンカップに小分けして冷凍しておくと、副菜としても大活躍ですよ！　約1週間、おいしく保存できます。

エスニックヌードル炒め弁当

いつもの調味料だけで、想像を裏切る本格的なエスニック味に！

［所要時間 約15分］

エスニックヌードル炒め

◉材料（1人分）

うどん（乾麺）――100g
油――大さじ1
野菜（もやし、にんじん、玉ねぎ、キャベツ、レタス、小松菜など）
　――合わせて120g（もやしの太さに合わせてせん切りなどにする）
A┌韓国粉唐辛子――小さじ½
　│レモン汁――小さじ1½
　│万能だれ（P5）――小さじ1
　└塩――小さじ½
（好みで）香菜――少々

★作り方

❶うどんはかためにゆでて水でもみ洗いし、ざるにあげる。
❷フライパンを熱して油をひき、中火で野菜をサッと炒める。Aを加えて混ぜ合わせる。
❸②に①を加えてまんべんなく混ぜ、水分がとんだら火を止める。味見して薄ければ万能だれ（分量外）で味を調え、好みで香菜少々を散らす。

アレンジアイディア

お好みで粉唐辛子を増量して、もっと辛くしてもおいしい。刻んだピーナツを散らしてもグッド。

あな吉メモ

万能だれ+レモン汁
=まるでナムプラー!?

買っても使いきれないナムプラーは買いたくない。それでもエスニック風味を作るため、いろいろと研究した結果、この組み合わせで、まるでナムプラーを入れたかのような風味が出せることが判明!　いろいろ応用してほしい自家製調味料です。

焼き蕎麦弁当

日本蕎麦に醤油味という、かわり焼き蕎麦。紅しょうがと青菜は必須！

［所要時間 約15分］

焼き蕎麦

◉材料（1人分）

蕎麦（乾麺）――100g
ごま油――少々
生しいたけ――3枚（食べやすい大きさに切る）
キャベツ――80g（食べやすい大きさに切る）
醤油――大さじ1〜1½
紅しょうが、青海苔――各適量

★作り方

❶蕎麦はかためにゆでて水にさらし、ざるにあげる。
❷熱したフライパンにごま油をひき、しいたけとキャベツを炒める。
❸①の蕎麦を加えて醤油で味を調えたら火を止める。お弁当箱に詰めて、紅しょうがをのせ、青海苔を散らす。

あな吉メモ

蕎麦について

あとから炒めて再加熱するので、蕎麦はかためにゆであげること。そば粉は輸入品が多いので、私は「国産そば粉使用」の表示があるものをチョイスしています。

アレンジアイディア

あり合わせの、にんじんや玉ねぎなどを入れてもおいしい。

大人弁当を
幼稚園弁当に変身させる！

お弁当の詰め方マジック講座 その2

3種の野菜ディップ＆スライスパン弁当（P78）を **ひと口サンドウィッチに**

子どもがディップを塗りながら食べるのは大変なので、ひと口大のサンドウィッチにしましょう。

ナポリタン弁当（P84）のスパゲッティを **ショートパスタ弁当に**

子どもにとって長いままのスパゲッティは、ちょっと食べにくいもの。だから、ショートパスタに代えて作ってあげるといいでしょう。

ベジミートの唐揚げ弁当（P40）を **野菜と一緒に串にさして**

大きな唐揚げは細かく切って、きぬさやなどの野菜と交互に串やピックにさしましょう。子どもは串などにささったものを食べるのが大好きです。苦手な野菜なども小さく切って、から揚げと交互にさすと、うっかり!? 食べちゃうんですよ。
また、ご飯を食べてもらおうと、添加物たっぷりのふりかけをかけるのはさけたいもの。海苔パンチを使って海苔でちょっとお顔を作ってあげるだけでも、子どもは大喜びです！

クイック餃子パン弁当（P60）を
ミニ餃子パン弁当に

P60の生地の分量を6等分にして、ミニサイズにしてあげるだけでOK!

幼稚園弁当を作る
お母さんたちの悩みは、
「とにかく子どもたちに食べ切ってほしい」
「大人用のお弁当と
まったく違うものを作るのは大変」
というこの2点。
大人弁当を子どもが大喜びするような
かわいい幼稚園弁当に変身させる
4つの基本テクニックさえ
マスターしてしまえば、
悩みは一挙に解消です！

炒めビビンパ弁当（P10）を
海苔巻き弁当に！

ご飯の上にどっさりのった炒め野菜を食べきるのは、子どもにはハードルが高い! そんな場合は海苔巻きにしてしまうと、難なくクリア。また、とうもろこしなども、なるべく薄く切って詰めてあげるといいでしょう。

テクその1：おかずは、子どもが食べやすいように小さくする。
テクその2：子どもがぽろぽろこぼして食べにくいものや噛みにくいものは、おにぎりや海苔巻きに。
テクその3：シリコンカップやミニピックを使ってカラフルに。
テクその4：ご飯には海苔でお顔を作ってあげる。

こんなちょっとしたひと工夫で、子どもたちは、
お弁当箱を空っぽにしてくれますよ。

高野豆腐の
そぼろ弁当（P48）を
ひと口にぎり弁当に

子どもにとって、そぼろの類は「大好きだけど食べるのは苦手」なおかずの代表。スプーンですくっても、口に入る前にほとんどがこぼれてしまいます。でも、ご飯とそぼろをしっかり混ぜて、おにぎりにしてあげれば大丈夫。

ぜ〜んぶ野菜！

豪華行楽ベジ弁当

この本でご紹介したのは、どれも簡単なふだん着のおかず。
でも、お重に詰めたら……!? こんなにも豪華で、大迫力な行楽弁当に変身します。
好きなおかずや副菜を自由に組み合わせて、
運動会や遠足、家族行事にも、ぜひ登場させてみてください。
ふたをあけたとき、そのボリューム感やカラフルな見た目はもちろんのこと、
全部ベジであることでも驚いてもらえそうですね。

一の重

蒸しパンや海苔巻きに、ひと口にぎりなど、
お弁当に欠かせない主食を、カラフルにぎっしり詰めたお重です。

高野豆腐のそぼろのひと口にぎり
→ P91

まっくろ黒豆ご飯
→ P12

ノンシュガー蒸しパン
→ P66

ノンマヨ・ポテサラ太巻き
→ P50

ベジ筑前煮
→ P16

ミートボール風
→ P36

蒸しかぼちゃ

蒸し野菜

れんこん
焼売
→ P38

おろしれんこんの
蒲焼き
→ P30

10分浅漬け
→ P9

蒸し野菜

二の重

正統派の野菜おかずから、お肉顔負けの
パンチがあってボリューム満点なおかずのお重。

キャロットケーキ風たい焼き
→ P74

こんにゃくカルビ風
→ P56

炒めナムル
→ P10

なんでも野菜の
ミックスチヂミ
→ P70

フレッシュサラダの
生春巻き
→ P20

そぼろ味噌
→ P10

サラダぎっしり、
2種の
ラップロール
→ P68

エスニック
ヌードル炒め
→ P86

三の重

ここは、たい焼きや生春巻きなどちょっと変わり種のおかずを詰めて、
エスニックテイストたっぷりのお重に仕上げました!

使いたいメイン食材から料理を引ける 素材別INDEX

おわりに

ゆるベジ料理教室、another～kitchen（アナザー・キッチン）のお弁当クラスはいつも超満員。でも、参加者の目的はさまざまです。

「自分の美容と健康のためにヘルシーなダイエット弁当が知りたいの！」という人もいれば、「いやいや、肉好きだけどメタボな夫でも喜ぶようなボリュームたっぷりのベジ弁当をよろしく」という人もいます。はたまた、「毎日の幼稚園弁当のためにかわいくて食べやすいメニューをお願いね」という声もあれば、「お弁当作りなんて運動会と遠足のときくらいなんだけど、だからこそ毎年その時期には本当に途方にくれちゃって……見栄えが一番！」という声も少なくありません。最近は「食の安全を考えてお弁当を持参し始めたけれど、続けるために簡単レシピが知りたい」という人も増えていますね。それでもって、もちろんおいしくって……などなど、皆さんの贅沢なリクエストに、私はいつも頭を悩ませています。
そこで“ヘルシーでボリューム感があって、食べやすくて見栄えのする簡単な”ゆるベジ弁当を……と一生懸命考えたレシピをまとめたのがこの本です。
ヘルシー派からお肉大好き星人まで、お子さんのデイリー弁当から晴れの日の行楽弁当までも、幅広く利用していただけるよう、バラエティに富んだメニューを心がけました。気に入っていただけるメニューがひとつでもあったらうれしいです。

でも実は、私自身はこの本のメニューを、お弁当以外に活用していることの方が多いのです。
例えば、ちょっとずつ色々なつまみを欲しがる酒飲みの夫には、この本の副菜で紹介した「即席漬け」各種を。子どもたちでも食べやすい野菜たっぷりの朝ご飯としては、小麦粉で作る「ワッフル」や「チヂミ」を。冷蔵庫にハンパな野菜がたまってきたら、おかたづけメニューとして「生春巻き」や「ミートボール風」を。友人たちとおしゃべりする時には、テーブルの真ん中に「3種の野菜ディップ&スライスパン」を。そしてひとりランチなら、パパッと作れて食べやすい「ナポリタン」や「焼き蕎麦」を、というように。

皆さんにも、そんな風に使っていただけたらな、と願っています。

ここで一言！　ゆるベジ弁当では植物性だけを使っていますが、お肉やお魚を食べちゃイケナイなんて、思っていませんよー。食べたかったらいつでもどうぞ。だけど、ちょっと食べ過ぎかなーと思っている人は、とことんゆるベジにして体を調えるという風に、ゆるベジを上手に利用すればいいのだと思います。

この本に登場したアイディアの多くは、ゆるベジ料理教室での皆さんとのやりとりから生まれたものです。another～kitchenに足を踏み入れてくださったすべての方に、心からの感謝と愛情を込めてこの本を贈ります。

また今ここに告白しますが、長女よ、毎日のあなたのお弁当作りは、いつも母の試作タイムでした。毎日残さず食べてきて、おいしかったと言ってくれることに、日々喜びを感じています。そして私の一番の理解者である夫による、日々のあらゆるサポートがあったおかげでこの本を完成することができました。

みんな、本当に、ありがとう！

profile

浅倉ユキ(あさくら・ゆき)
ゆるベジ料理研究家

肉、魚、卵、乳製品、砂糖、みりん、酒、だしを一切使わないベジタブル料理の教室「another～kitchen」(アナザー・キッチン)を主宰。通称“あな吉さん”。
口コミで「野菜だけなのに、しっかり甘い！　コクがある！　お肉好きの夫や子どもも納得のパンチのある味、そして簡単！」と人気が広がり、教室は常に予約待ち。
著書に『あな吉さんのゆるベジ料理教室』『あな吉さんのゆるベジ10分レシピ』(共に河出書房新社)がある。女の子二人、男の子一人の母。
楽天ブログ「浅倉ユキ(あな吉)の、ゆるベジごはん」(http://plaza.rakuten.co.jp/anakichi)が大好評。また、カフェグローブでの「ゆるベジなキッチン」(http://www.cafeblo.com/vegetable/)の連載では、ワーキングウーマンのための超簡単レシピを紹介している。mixiの「ゆるベジ料理教室@荻窪」コミュニティは、生徒さんどうしが交流したりと大盛況。

食材問い合わせ先

◎生活クラブ生協　電話：03-5285-1771　(http://www.seikatsuclub.coop)

◎小玉醸造株式会社　電話：018-877-2100 (http://www.kodamajozo.co.jp)

◎マルクラ食品有限会社　電話：086-429-1551

staff

撮影　山下コウ太
ブックデザイン　釜内由紀江　五十嵐奈央子(GRID)
スタイリング　中安章子
調理アシスタント　片山千恵　榎本可菜　柿本今日子
細呂木谷良子　三浦恵子
石澤亜紀　渡辺麻子
編集　斯波朝子

肉・魚・卵・乳製品・砂糖・だし不要！
あな吉さんのゆるベジ
野菜100%！　お弁当教室

2009年1月20日初版印刷
2009年1月30日初版発行
著　　者　浅倉ユキ
発 行 者　若森繁男
発 行 所　株式会社河出書房新社
〒151-0051
東京都渋谷区千駄ヶ谷2-32-2
電話　03-3404-8611(編集)　03-3404-1201(営業)
http://www.kawade.co.jp/
印刷・製本　凸版印刷株式会社
ISBN978-4-309-28149-0